SIN SALIDA

Mimi McCoy

SCHOLASTIC INC.

New York   Toronto   London   Auckland
Sydney   Mexico City   New Delhi   Hong Kong

A Amanda, con mi agradecimiento

CAPÍTULO UNO

—Es la historia más terrorífica que conozco —dijo Casey Slater en un susurro.

Se recostó sobre las almohadas de la cama de su mejor amiga, Jillian Morton, abrazada a un suave cerdito de peluche. Mientras hablaba, Casey apretaba el cerdito con fuerza.

—Cuéntame —dijo Jillian, mirando sus uñas con atención.

La chica estaba sentada en la alfombra blanca de su habitación, donde se pintaba las uñas de color anaranjado, como los conos del tráfico.

Esa tarde, las dos amigas estaban en el apartamento donde vivía Jillian con sus padres y su hermano, poniéndose al día de los últimos chismes de la escuela.

—No me atrevo a contarla en voz alta —dijo Casey.

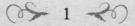

—Casey —dijo Jillian con impaciencia.

—¿Qué?

Los ojos castaños de Casey se abrieron con inocencia.

—Siempre haces lo mismo. Siempre dices que es la historia más terrorífica, y luego no cuentas nada.

—Bueno, esta es terrorífica de veras —respondió Casey.

—¡Ya cuéntamela!

—Muy bien, tú lo pediste. —Casey respiró profundamente—. Hoy estaba revisando mi correo electrónico durante la hora de biblioteca. Jaycee Woodard me envió una historia sobre una niña de Nueva Jersey que fue asesinada.

—¿Cómo la asesinaron? —preguntó Jillian.

—Otras chicas de su escuela, bromeando, la empujaron por la boca de una alcantarilla.

—¿La empujaron por la boca de una alcantarilla? Eso no es bromear. Eso es ser muy malvado.

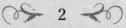

Casey arqueó las cejas como diciendo ¿quieres oír la historia o no?

—Lo siento —dijo Jillian—. Continúa.

—El caso es que la chica nunca salió de la alcantarilla —dijo Casey en voz baja—. Así que la policía entró a buscarla y encontró su cuerpo. Se había roto el cuello al caer. Cuando la policía habló con las niñas que la habían empujado, todas mintieron y dijeron que se había caído por accidente y todo el mundo les creyó.

—Qué horrible —dijo Jillian.

—Sí, pero eso no es todo. Hay otra parte. —Aquí era donde la historia se ponía realmente terrorífica. Casey abrazó con fuerza al cerdito de peluche—. El mensaje decía que después de leerlo lo enviaras a otras personas para que todo el mundo supiera lo que le pasó a la niña. Pero un niño que era amigo de la prima de Jaycee no lo reenvió. Esa noche, cuando se estaba duchando, escuchó una risa escalofriante. Corrió a la computadora y reenvió el mensaje, pero ya era demasiado tarde. A la mañana siguiente, la policía lo encontró muerto en la alcantarilla —Casey se estremeció—, y cuando le hicieron la atopsia...

—Autopsia —corrigió Jillian.

—¿Qué? —dijo Casey.

—Cuando abren un cadáver para estudiarlo, a eso se le llama autopsia —dijo Jillian, a quien le encantaban las películas de horror.

—Bueno, autopsia, como sea —dijo Casey molesta porque la habían interrumpido en la parte más terrorífica del cuento—. Descubrieron que se había roto el cuello exactamente en el mismo lugar que la otra niña. Y en la parte de abajo del mensaje decía que tenías que enviarlo a cinco personas diciendo: "¡La empujaron!", o si no, al anochecer, despertarías en la alcantarilla y el fantasma de la niña vendría a buscarte.

Casey abrazó al cerdito con más fuerza aun.

—Por favor —Jillian no parecía haberse

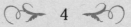

asustado—, dime que no reenviaste ese mensaje.

—¡Claro que sí! —exclamó Casey.

—Casey —Jillian miró a su amiga con exasperación—, esa historia es falsa. La gente inventa esas tonterías para conseguir que se reenvíe el mensaje. Probablemente contenía un virus.

—Creo que no —dijo Casey, intentando recordar si había algún documento adjunto.

Luego, se apartó el flequillo oscuro de sus ojos y suspiró, preguntándose qué tendría que haber hecho. ¿Qué era peor, un virus de computadora o un fantasma asesino? Parecía que en cualquiera de los casos el riesgo era bastante grande.

Eso reforzaba la idea de Casey de que el mundo estaba lleno de peligros. A diferencia del dicho popular, ella creía que lo que no sabes probablemente te acaba matando. Sencillamente no merecía la pena arriesgarse.

Jillian era completamente diferente. Ella se arriesgaba constantemente. Patinaba,

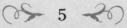

comía sushi y compraba en tiendas de segunda mano. Incluso su peinado era atrevido, una melena lisa que le llegaba a la nuca, más larga por delante que por detrás, y con un mechón pintado de rubio. Se lo había pintado un día al salir de la escuela. Entró en una peluquería y se sentó en un sillón, como si fuera algo que hiciera todos los días. Aunque a sus padres no les gustara, no había nada que hacer —así se los había dicho— ya que, a fin de cuentas, era su cabello.

Jillian había animado a Casey a pintarse un mechón de cabello, pero a Casey le preocupaba que un mechón rubio en su cabello negro la hiciera parecerse a un zorrillo. Además, había oído que el peróxido podía dar cáncer.

—Y no sé por qué haces caso de nada que diga Jaycee Woodard —dijo Jillian mientras cerraba el esmalte de uñas—. Ella cree que lo sabe todo. ¿Recuerdas cuando le dijo a todo el mundo que te puedes morir

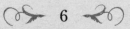

si te tragas un chicle? Algo imposible, por cierto, lo busqué.

—Pero era el amigo de su prima —alegó Casey, quien, entre otras cosas, nunca se tragaba los chicles—. Así que ella debería saber si es verdad, ¿no? Es tan horrible pensar que esto le ocurrió a alguien a quien conocemos de alguna manera.

Casey podía ver claramente la imagen del niño despertándose en la alcantarilla oscura, asustado y confundido, para ver, entre las sombras, un fantasma vengativo al acecho, listo para...

—Deja de pensar en esa historia —ordenó Jillian, apuntando a Casey con una uña anaranjada—. Sé que te vas a obsesionar, así que intenta olvidarla.

Jillian tenía razón. Ese tipo de historias siempre se quedaban en la cabeza de Casey. No podía olvidarlas aunque lo intentara. Eran como ampollas. Las tocaba una y otra vez aunque supiera que ello solo las empeoraba.

—No puedo evitarlo —dijo a Jillian—. Es tan horrible.

—¡Lo que es horrible es que estás matando a mi cerdito! —respondió Jillian.

Casey miró al cerdito. Lo estaba abrazando tan fuerte que parecía que lo iba a estrangular.

Casey se echó a reír y lo lanzó a la cabeza de Jillian, que soltó una carcajada y se agachó. Esa era la gran cualidad de Jillian. Siempre conseguía hacer reír a Casey y que olvidara lo que le preocupaba.

—Hablemos de lo que nos vamos a poner para la fiesta de Makayla —dijo Jillian.

Makayla Meyers, una de sus compañeras en la Escuela Secundaria James J. Walker, iba a celebrar una fiesta el primer fin de semana del verano y toda la escuela no hablaba de otra cosa.

—Tienes que ver el vestido que me quiero comprar —dijo Jillian.

Se puso de pie y se acercó a la computadora. Con cuidado, para no estropearse las uñas, tecleó una dirección.

—¡Vaya! —dijo Casey al ver el vestido que Jillian había hecho aparecer en la pantalla. Tenía cuadros verdes, un amplio escote y se ataba al cuello. Casey pensó que parecía una mezcla de traje de baño con falda escocesa—. ¿Hay de otros colores?

—No, es el único —dijo Jillian sin darse por aludida—. ¿Verdad que es lindísimo?

—Claro —mintió Casey. ¿Para qué discutir por un vestido?

—¿Y tú qué te vas a poner? —preguntó Jillian.

—Pensaba ponerme los *jeans* y mi chaleco color coral —dijo Casey.

—Muy conservador.

—¿Qué tiene de malo que sea conservador? —alegó Casey—. Que me lo haya puesto antes no quiere decir que sea aburrido.

—No me refiero a que sea aburrido —dijo Jillian—, me refiero a que ese chaleco te hace parecer un guardia de tráfico. Es hora de lucir algo nuevo y excitante. ¿Tengo que

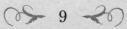

recordarte que esta fiesta es el primer fin de semana del primer verano...?

—Del resto de nuestras vidas —canturreó Casey con una sonrisa. Ella y Jillian ya tenían todo el verano planeado—. Vamos a estar juntas todos los días.

—Y conoceremos a dos chicos encantadores —aseguró Jillian.

—Que también serán muy amigos entre ellos.

—Y serán nuestros novios y los cuatro iremos a todas partes juntos.

—A la playa...

—Y al parque de diversiones...

—Pero no subiremos a la montaña rusa —añadió rápidamente Casey—. No me gustan las montañas rusas.

—De acuerdo —dijo Jillian encogiéndose de hombros—. Mi novio y yo subiremos a la montaña rusa y tú y tu novio pueden quedarse en el carrusel o donde quieran. En cualquier caso, será el mejor verano de la historia.

El teléfono celular de Casey sonó. Lo sacó del bolsillo y miró el número.

—Es mi mamá. Probablemente me llama para decirme que vaya a casa a cenar.

—Pregúntale si puedes comer acá —dijo Jillian.

—Hola —contestó Casey—, ¿puedo quedarme a cenar en casa de Jillian?

—¿Así es como contestas el teléfono? —dijo su mamá.

—Hola, mamá —suspiró Casey—. Entonces, ¿puedo?

—Esta noche no, Casey —respondió la Sra. Slater—. Papá y yo tenemos novedades y queremos contártelas durante la cena. Te espero en quince minutos.

—Bueno —dijo Casey y colgó.

—¿Qué dijo? —preguntó Jillian.

—Que tengo que ir a casa. Quieren darme una noticia.

—Ten cuidado —le advirtió Jillian—. Eso es lo que mis padres me dijeron cuando me comunicaron que íbamos a tener a la Peste.

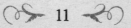

Jillian llamaba así a su hermano de cinco años porque siempre estaba desordenando sus cosas y volviéndola loca.

—Llámame más tarde —dijo Casey mientras recogía su mochila y se la colgaba al hombro.

—Eso haré.

Las dos amigas se abrazaron como hacían siempre y entonces Casey se dirigió hacia la puerta.

Al salir del apartamento de Jillian, Casey bajó por la escalera. Procuraba no tomar nunca el ascensor desde que oyó en las noticias que cuatro personas habían muerto al romperse el cable del ascensor donde viajaban. A Casey le daban miedo muchas cosas, pero morir así era desde luego una de las peores de su lista.

Casey y Jillian vivían en edificios idénticos, ambos de ladrillo rojo y a dos cuadras de distancia, en el lado este de Manhattan. Casey caminó despacio, disfrutando la tarde que se iba apagando. Los árboles de la acera estaban repletos de hojas y la brisa cálida anunciaba el verano. Incluso la gente que volvía a casa en la hora pico parecía caminar más lentamente de lo habitual.

Mientras caminaba, Casey trataba de adivinar cuál sería la noticia que le querían comunicar sus padres. No creía que fueran a tener un bebé. No había sitio para nadie más en su apartamento de dos cuatros.

"Quizás mamá perdió su empleo —pensó Casey con un ataque repentino de miedo— o quizás a papá lo despidieron de la escuela donde trabaja. Y entonces tendremos que pedir ayuda a la asistencia social y ya no podremos vivir en nuestro apartamento y tendremos que irnos a vivir a otra parte de la ciudad, y tendré que ir a una nueva escuela donde los niños son malos y empujan a la gente a las alcantarillas... No, basta —se dijo a sí misma, interrumpiendo su avalancha de pensamientos—. Seguro que no es nada de eso".

Entonces suspiró. Ojalá su mamá le

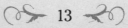

hubiera dado la noticia por teléfono. Odiaba las sorpresas, incluso las buenas.

Al doblar la esquina de su edificio, vio que parte de la calle estaba señalizada con conos anaranjados. Dos operarios vestidos de azul trabajaban en una alcantarilla.

Casey se estremeció, pensando de nuevo en el fantasma de la alcantarilla. Agarró su mochila con fuerza y corrió a casa.

CAPÍTULO DOS

—¡Hola mamá, papá! —gritó Casey al abrir la puerta.

La recibió un olor a carne asada. Casey dejó su mochila en la entrada y se quitó las zapatillas. Luego se dirigió a la cocina diminuta, donde sus padres la esperaban.

—Hola, cielo —dijo su mamá mientras cortaba lechuga para una ensalada—. Pasa y lávate las manos. La cena está casi lista.

Casey se metió entre los dos y llegó al fregadero. Mientras se lavaba las manos, estudió a sus padres, intentando adivinar algo. Su madre aún llevaba la ropa de oficina: una falda color crema, una camisa blanca, zapatos de tacón y el pelo recogido con un gancho.

"Parece cansada", pensó Casey. Pero después de estudiar su rostro llegó a la conclusión de que no parecía más cansada que otras veces.

Casey observó a su papá, que freía unas chuletas en una sartén. Creyó ver algunos mechones grises nuevos en su cabello pelirrojo, pero no estaba segura.

Cuando se sentaron a la mesa, su papá sirvió las chuletas de cerdo y la ensalada mientras su mamá servía té helado.

—Entonces, ¿cuál es la noticia? —preguntó por fin.

Sus padres se miraron con una sonrisa cómplice. La madre de Casey asintió levemente, como diciendo: "Díselo tú".

—¡Compramos una casa! —dijo el papá de Casey con una sonrisa.

—¿Una casa? —preguntó Casey.

Nadie en Manhattan vivía en casas, excepto las personas muy ricas, y ellos definitivamente no lo eran.

—¿Quieres decir un nuevo apartamento? —añadió.

—No, Casey —respondió su papá—. Una

casa de verano, en New Hampshire. Un lugar donde escaparnos de todo.

—Así que iremos allá de vacaciones —dijo Casey cortando la chuleta y sintiéndose aliviada de que eso fuera todo.

—Incluso mejor —respondió su mamá—. Pasaremos todo el verano allí.

—¿Todo el verano?

Casey soltó el cuchillo de golpe.

—Nos marcharemos el día después de que acabe la escuela y volveremos en agosto.

Casey sintió que el estómago se le hizo un nudo. Todos sus planes para el verano se desvanecieron ante sus ojos.

—No lo puedo creer —murmuró.

Cerró los ojos y los puños, clavándose las uñas en la palma de las manos. Así se despertaba cuando tenía una pesadilla. El pinchazo fuerte de sus uñas siempre la devolvía a la realidad. En ese momento apretó los puños hasta que tuvo marcas en la piel, pero cuando abrió los ojos, seguía en el mismo sitio.

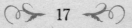

—Casey, ¿estás escuchando? —preguntó su papá—. Es una casa antigua lindísima. Cerca de un lago donde podemos ir a pescar, a comer... ¡Quizás hasta me compre un barco! —dijo sonriendo.

"¿Pescar?"

Casey se quedó mirándolo. Lo más cerca que había estado su papá de pescar era abrir una lata de sardinas. Esperó oírle decir que estaba bromeando, pero él estaba soñando despierto y no pareció darse cuenta.

—¿Dónde está la casa exactamente? —preguntó a su mamá.

—En el pueblo de Stillness en New Hampshire. Ya verás cuando conozcas el sitio, Casey. Es una vieja granja con una mecedora en el porche. Nos sentaremos allí a tomar limonada y a escuchar los pájaros.

—Pero, ¿qué pasará con sus empleos? —dijo, mirando a sus padres—. No pueden dejarlos y ya.

—Este año tu papá decidió no dar clases en la escuela de verano —respondió su mamá— y yo me tomaré unos días libres. Tengo muchos días de vacaciones acumulados e hice arreglos para poder tomarme varias semanas sin paga.

—La casa necesita reparaciones —añadió su papá—. Durante este verano, arreglarla será nuestro trabajo de tiempo completo.

—No puedo creer que hayan comprado una casa —dijo Casey—, toda una casa, sin decírmelo.

—Queríamos darte una sorpresa —dijo su papá—. Siempre quisimos una casa en el campo y ya creíamos que nunca íbamos a poder darnos ese lujo. Pero el precio que pedían por esta casa era increíblemente bueno y los vendedores aceptaron nuestra oferta enseguida... era una oportunidad demasiado buena para dejarla escapar.

—Ya verás, cielo, te encantará —dijo su mamá—. ¿Recuerdas lo bien que la pasaste cuando estuvimos en aquel lago en el norte de Nueva York?

—Eso fue una semana, no un verano entero.

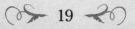

Casey no podía creer que sus padres le hubieran hecho eso después de todo lo que Jillian y ella habían planeado. Tenía que haber una manera de escaparse.

—Podría quedarme aquí —dijo Casey de repente, pensando en voz alta—. Podría quedarme con Jillian mientras ustedes van a New Hampshire.

Sus padres parecían molestos incluso antes de que hubiera terminado de hablar.

—Claro que no puedes quedarte aquí, Casey, no seas boba —dijo su mamá—. ¡No podemos pedirle a la familia Morton que te cuide todo el verano!

—¡Pero no es justo! —dijo Casey. Casi nunca respondía así a sus padres, pero esto era demasiado—. ¿No se les ocurrió pensar que yo podría tener planes para el verano?

—¿Planes? —se burló su papá—. Por favor, Casey, tienes doce años.

—¡Cumpliré trece en agosto! —replicó Casey—. Y claro que tenía planes. Jillian y yo íbamos a hacer un montón de cosas este verano ¡y se los habría contado si me hubieran preguntado!

—Jillian puede venir a visitarte —dijo su mamá—. New Hampshire no está muy lejos de Nueva York.

—No quiero que Jillian venga a visitarme —dijo Casey, levantando la voz—. ¡Quiero quedarme aquí!

—Casey, ya es suficiente —dijo su papá muy seriamente—. No vamos a seguir hablando de esto hasta que no te calmes. Ahora, termina tu comida.

—No tengo hambre.

Casey apartó la silla bruscamente. Se paró, se dirigió a su habitación y cerró la puerta con fuerza.

No sirvió de mucho. La habitación estaba justo al lado de la cocina. Escuchó a su papá pedirle a su mamá que le pasara la ensalada y después el tintineo de los cubiertos. Parecía que estuvieran en la misma habitación.

Casey se acostó en la cama y miró al techo. Se oían pasos de gente que caminaba en el apartamento de arriba. En unas pocas semanas estaría en un nuevo dormitorio en una casa en New Hampshire. Intentó imaginárselo, pero sólo le venía a la cabeza la habitación del hotel donde se quedaron cuando fueron al lago en el norte de Nueva York. La alfombra olía raro y durante toda la noche escuchó correr el agua del baño.

Las palabras de Jillian resonaron en sus oídos. Pensó en todos sus planes: la fiesta, la playa, sus primeros novios... Ya no occurriría nada de eso y se suponía que iba a ser el mejor verano de su vida. Ahora se había estropeado y todo porque sus padres compraron una estúpida casa.

Casey agarró su teléfono celular y llamó a Jillian para contarle la mala noticia.

CAPÍTULO TRES

Casey se encogió en el asiento delantero del auto. Sus pulgares volaban mientras tecleaba un mensaje en el celular.

¡911! raptada por padres malvados. camino d nh. ¡ayuda!

La respuesta de Jillian llegó un momento después.

Imposibl. Tiradpisocuadhistpqfuiste

"¿Qué?", pensó Casey.

Normalmente podía adivinar las abreviaturas locas de Jillian pero esto era demasiado. Entonces escribió: "¿?".

Jillian respondió:

en el piso llorando con un ataque de histeria pq t fuiste

Casey sonrió y tecleó rápidamente la respuesta, pero cuando pulsó ENVIAR, el mensaje no salió.

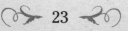

—No hay señal —dijo al mirar la pantalla.

—Cielo, deja eso —dijo su mamá mientras conducía y sin ningún atisbo de comprensión—. Te estás perdiendo este maravilloso paisaje.

Casey cerró su celular y miró con tristeza por la ventanilla.

"¿Qué maravilloso paisaje?" —se dijo. Sólo habían árboles y más árboles, y así había sido durante las últimas horas.

Pasaron junto a unas vacas pastando en el campo. Casey las miró con recelo. Deseaba que no hubiera animales en el lugar adonde iban. Los animales eran impredecibles. A Casey la asustaban hasta las palomas de Manhattan.

Habían salido de Nueva York al final de la mañana. Casey y su mamá viajaban en su pequeño sedán y su papá las seguía en una camioneta de alquiler. Sus padres habían dicho que la casa estaba amueblada, pero aun así llenaron la camioneta con todo lo que necesitaban para el verano: sábanas y

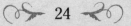

toallas, cazuelas y sartenes, el estéreo y la televisión, herramientas, artículos de aseo, pequeños electrodomésticos para la cocina, bicicletas y, en el último minuto, un aire acondicionado gigante que su papá había comprado.

Durante las primeras horas de viaje, Casey reconoció lugares a donde habían hecho excursiones. Pero cuando dejaron la autopista interestatal, el paisaje se volvió desconocido. Las ciudades y las paradas de descanso habían dado paso a colinas verdes y áreas de densos bosques. Habían pasado el último pueblo hacía varios minutos. El último edificio que Casey había visto era una estación de servicio abandonada con un letrero siniestro que decía: "A millas de ninguna parte".

La mamá de Casey manejaba con la ventanilla baja y su cabello flotaba con el viento. Cuando en la radio sonaba una canción que le gustaba, subía el volumen y cantaba a toda voz. Casey no tardó en ponerse los auriculares y buscar a su grupo favorito, *Sin futuro*. Sus canciones melancólicas eran perfectas para su estado de ánimo.

Casey había escuchado casi todo el álbum cuando llegaron a una bifurcación. El aviso indicaba que Stillness quedaba a 1,5 millas hacia la izquierda. La mamá de Casey tomó el camino de la derecha.

—El letrero decía que Stillness era por allí —dijo Casey señalando hacia atrás.

—La casa está en las afueras del pueblo —dijo su mamá—. Nuestro camino debe de estar por aquí.

Un momento después, giró en un estrecho camino llamado Camino Enebro.

"Parece más bien un camino tenebroso", pensó Casey, observando los bosques densos que había a los dos lados.

Después de un corto recorrido, el asfalto se terminó y continuaron por un camino de tierra. El borde del camino estaba salpicado de buzones de correo que parecían hongos gigantes y Casey podía ver casas escondidas entre los árboles. Luego miró por el espejo retrovisor, pero no vio la camioneta.

—¿Estás segura de que es por aquí? —preguntó a su mamá.

—Creo que sí —respondió la Sra. Slater echando un vistazo al mapa escrito a mano que llevaba en el regazo, aunque no sonó muy convencida.

Cuando llegaron a una señal amarilla que decía SIN SALIDA, Casey pensó que tendrían que dar la vuelta. Pero para su sorpresa, su mamá aceleró.

—¡Aquí es! —dijo con seguridad.

Siguieron la curva que trazaba el camino y salieron de los árboles para encontrarse con un jardín de pasto muy crecido.

—¡Ya llegamos! —canturreó la mamá de Casey, apagando el motor—. No sé tú, pero a mí me gustaría estirar las piernas.

Casey apenas la oyó. Miraba la casa que tenía delante.

Cuando sus padres hablaron de una casa de verano, Casey se había imaginado una casita acogedora, rodeada por un jardín lleno de flores. Esta casa no era así en absoluto. Era alta y estrecha y estaba en medio de una explanada. Tenía filas de ventanas negras debajo de un tejado muy inclinado. La madera estaba tan envejecida que tenía un tono color plata, y en el porche del frente faltaban dos tablones, como si le faltaran dos dientes. Casi pegado a la parte de atrás, un bosque de árboles altos parecía estar sitiando la casa.

A Casey, la casa le hizo pensar en huesos viejos extendidos en el suelo para secarse y se sintió invadida por un sentimiento de desolación.

—No quiero entrar —dijo de forma automática.

—Casey, no digas tonterías —dijo su mamá, echándole un vistazo a la casa—. Admito que necesita varios arreglos, pero eso es precisamente lo mejor. La podemos remodelar a nuestro gusto.

Abrió la puerta del auto y se dirigió a la casa. Sus pasos crujían sobre la grava.

—¿No vienes? —gritó al ver que Casey no se movía.

La chica salió del auto y siguió a su madre hasta el porche.

—¡Mira que detalle de la época tan divino! —exclamó la Sra. Slater señalando un vitral incrustado en la puerta de roble. Abrió la puerta con un tintineo de llaves y las dos entraron.

Hacía mucho calor y el aire adentro era cálido y rancio. Mientras su mamá se apresuraba a abrir ventanas, Casey se quedó mirando. A la izquierda de la entrada había una gran sala con una chimenea. Casi todos los muebles estaban cubiertos con sábanas blancas, como fantasmas de Halloween encogidos. En un rincón de la sala había una antigua radio de madera del támaño de un televisor. Casey se acercó y giró el dial, pero parecía no funcionar.

—Los muebles son un poco viejos —dijo su mamá alegremente mientras le quitaba la sábana a un horrible sillón verde—. Pero servirán hasta que encontremos algo mejor. —Acompañó a Casey por las distintas salas, indicando los cambios que quería hacer—.

Pintaremos las paredes, barnizaremos el suelo... Creo que podemos hacer un baño en esa esquina.

Casey asintió, escuchando a medias. Las habitaciones eran mucho más grandes que cualquier espacio de su apartamento, pero la sensación era sofocante.

—Y aquí —dijo su mamá en el umbral de una puerta—, está la cocina. ¿No es fantástica?

Casey recorrió la cocina con la mirada. No le veía nada fantástico. Había un fregadero de porcelana, una mesa de madera rústica y una estufa de gas que parecía muy antigua.

—¿Cocinarás en esa cosa o la manejarás? —preguntó Casey.

La estufa tenía casi tantas puertas como fogones.

—Es una Wedgwood, Casey. Es una antigüedad —respondió su mamá—. No tienes idea de lo que cuestan. El agente inmobiliario dijo que teníamos suerte de

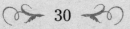

encontrar algo en tan buen estado. Es un perfecto ejemplo de elegancia campestre.

Casey la miró aburrida. Sabía que su mamá estaba repitiendo una frase de sus revistas de decoración. Durante las últimas semanas las había comprado por docenas. Se amontonaban en cada rincón del pequeño apartamento. Y le habían dado varias ideas sobre "la paleta de colores" y "cómo aprovechar espacios".

Al papá de Casey le ocurría lo mismo. Cada vez que Casey se daba la vuelta, lo encontraba enfrascado en un ejemplar de "Hágalo usted mismo: los pomos de las puertas" o "Aprenda a usar el martillo como un profesional". Parecía que sus padres habían pillado alguna enfermedad. Era como si un virus los hubiera convertido en fanáticos de la remodelación.

Casey se acercó al fregadero y abrió la llave. La tubería resonó pero no salió agua.

—¿Compraron una casa que no tiene agua? ¡Nos moriremos de sed!

—Nadie se morirá de sed, Casey. Tal vez

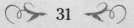

hay un problema en la tubería. —Su mamá suspiró—. Me gustaría que dejaras de refunfuñar todo el tiempo. Creo que vamos a pasar un verano maravilloso.

"Ni hablar", pensó Casey. Creía que si seguía refunfuñando sus padres la llevarían de vuelta a la ciudad.

Oyeron la bocina de un auto. Casey y su mamá salieron al porche mientras la camioneta se acercaba entre una nube de polvo.

—Muy bien, empecemos a descargar —dijo el papá de Casey mientras salía de la camioneta—. Tenemos mucho que hacer hoy.

—Joe, relájate —dijo la mamá de Casey—. Acabamos de llegar. Ni siquiera he terminado de mostrarle la casa a Casey.

—Hay tiempo de sobra para eso. No quiero tener que pagar un día extra por el alquiler de la camioneta. —A él no le gustaba pagar extra por nada—. Dez, ven a ayudarme, por favor. Casey, quiero que empieces a bajar las cosas del auto.

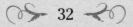

Casey caminó hasta el Honda y abrió el maletero. Estaba repleto de maletas y bolsas que no habían cabido en la camioneta. Eligió lo menos pesado que pudo encontrar (un paquete con cuatro rollos de papel higiénico) e hizo como si le costara mucho trabajo cargarlo hasta la casa.

—Casey, deja de hacer bobadas —dijo su papá.

"Aparentemente, papá perdió su sentido del humor en algún lugar del camino", pensó Casey.

Se dirigió con dificultad hasta el auto de nuevo, sacó una bolsa de lona y la arrastró por las escaleras del porche.

Al entrar, miró y se preguntó dónde debía ponerla. Estaba a punto de llevarla a la sala cuando oyó un ruido que venía de arriba. Sonaba como si algo rodara por el suelo.

—¿Mamá? —dijo Casey, aunque no había visto a su mamá entrar en la casa.

—¡Estoy aquí! —la Sra. Slater asomó la cabeza por un lado de la camioneta—. ¿Qué quieres?

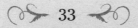

—Eh... nada —respondió Casey.

Miró al techo. Ahora ya no se oía nada. Dejó la bolsa de lona contra la pared y se dirigió a las escaleras que comenzaban en la cocina.

Las escaleras eran estrechas y empinadas. Mientras subía, los peldaños de madera crujían bajo sus pies como si no estuvieran acostumbrados a que los pisaran.

Arriba hacía aun más calor. Un pasillo estrecho llevaba desde la parte de atrás de la casa hasta la parte de delante, donde una diminuta ventana que no se podía abrir daba al jardín del frente.

Casey sintió unas ganas repentinas de bajar las escaleras y volver al aire fresco. Pero en lugar de hacer eso, abrió la primera puerta que encontró.

Daba a una habitación pequeña, amueblada con una cama sencilla, una silla de madera y un tocador pequeño con un espejo. El papel de las paredes tenía un dibujo de helechos. No había nada allí que hubiera podido causar el ruido que había escuchado.

Algo que había confundido con una bola de polvo se movió de repente por el piso.

"¡Aj, una araña!", pensó con un escalofrío y salió.

En la siguiente habitación había un baño con una bañera con patas. Allí tampoco había nada que hubiera podido producir el ruido.

Finalmente, llegó a la puerta de la habitación que daba al frente. La empujó y dejó escapar un grito ahogado.

Había alguien adentro, una figura que brillaba con un halo de luz. Una idea relampagueó en la mente de Casey: se trataba de un ángel oscuro.

Casey empezó a retroceder y la figura hizo lo mismo. De repente se dio cuenta de que estaba viendo su propia imagen en un espejo situado sobre el tocador. La luz del sol, que entraba por la ventana que tenía detrás, hacía el efecto del halo.

Se acercó lentamente al espejo. Sus pies

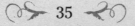

rozaron algo que salió rodando por el piso y se agachó a recogerlo. Era una canica de vidrio con remolinos verdes y blancos. Casey se pasó la canica de una mano a la otra. La sentía sólida y pesada. Estaba segura de que fue eso lo que oyó rodar por el piso. Pero no sabía por qué había rodado.

Mientras tanto, observó su reflejo en el espejo. Tenía la boca con las comisuras hacia abajo y el flequillo le caía sobre la frente. Sus grandes ojos castaños la miraban fijamente, sorprendidos y vacilantes.

Casey guardó la canica en su bolsillo. Cuando ya estaba a punto de marcharse, algo en el espejo le llamó la atención. Se acercó un poco más. El espejo estaba cubierto de polvo y parecía que alguien hubiera escrito en el polvo con un dedo. Se leían tres palabras: FUERA DE AQUÍ.

El corazón de Casey empezó a latir a toda velocidad. ¡Alguien había estado en la casa!

En la planta de abajo se oyó un fuerte golpe y Casey pegó un salto.

Corrió a las escaleras. Lo que vio hizo que el corazón le subiera a la boca. Su papá estaba tendido en la entrada. Había una enorme caja a su lado.

—¡Papá!

En ese momento, su mamá llegó corriendo a la puerta principal. Cuando vio a su esposo en el suelo, se quedó sin aliento.

—Joe, ¿qué pasó? ¿Estás bien?

El Sr. Slater se incorporó con un gesto de dolor y señaló la bolsa de lona que Casey había metido en la casa.

—Casey dejó esta bolsa en medio de la puerta. Tropecé con ella y por poco me mato.

—No la dejé en medio de la puerta —dijo Casey. Recordaba perfectamente que la había puesto contra la pared para que no estuviera en el medio.

Su padre la miró furioso. Era obvio que no le creía.

—Tienes que empezar a ayudar —dijo—. Ya tenemos bastante que hacer para que tú estés perdiendo el tiempo.

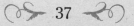

La tensión que Casey había sentido desde que llegaron a la casa de repente estalló como una cascada. Sus ojos se inundaron de lágrimas de frustración. ¿Por qué la culpaban a ella cuando estaba claro que había sido su papá quien había cometido una torpeza?

—¿Ayudar? ¡Ni siquiera quiero estar aquí! —exclamó.

—Casey —dijo su papá muy serio.

Su mamá puso una mano sobre el brazo de él, como diciendo: "Deja que yo me ocupe".

—Cariño, voy al pueblo a comprar algo para la cena —dijo a Casey—. ¿Por qué no vienes conmigo mientras tu papá termina de descargar la camioneta? ¿Te gustaría conocer Stillness?

"Lo que quiero es irme a casa", pensó Casey con furia. Pero, ¿qué casa? Su apartamento ya lo habían alquilado por el verano. Este sería su hogar al menos durante los próximos tres meses.

Asintió, bajó las escaleras y siguió a su mamá hasta el auto.

La madre de Casey había dicho que iban al pueblo, pero Stillness parecía ser un sitio inhabitado. Ni siquiera había semáforos. En una esquina había una gasolinera con dos surtidores y una pequeña cafetería. Al otro lado de la calle había una furgoneta que parecía vender comida rápida, pero estaba cerrada.

Mientras circulaban lentamente por la carretera, vieron una ferretería, la tienda de un taxidermista y una peluquería llamada Cortes y Estilos de Sandra.

La mamá de Casey estaba demasiado contenta para darse cuenta del entorno tan deprimente.

—Tengo ganas de comprar verduras locales —dijo animadamente—. Y huevos. Ya verás cuando pruebes huevos que vienen directamente de una granja, Casey. Sentirás que estás en el cielo.

Llegaron al final de la calle principal. Más

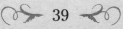

allá había algunas casas y campos de cultivo. Después, más bosques.

—El agente inmobiliario dijo que había una tienda de alimentos en el pueblo. ¿La has visto?

Casey negó con la cabeza. Circularon por la calle en un sentido y luego en el otro.

—Supongo que podemos probar allí —dijo Casey señalando la tienda de la gasolinera.

Pegado a una ventana de la gasolinera había un letrero escrito a mano que decía: "SODA. HIELO. GUSANOS".

La madre de Casey estacionó el auto y las dos entraron en la tienda. Detrás de la caja registradora había una chica de unos quince años leyendo una revista con la barbilla apoyada sobre una mano.

—Disculpa —dijo la Sra. Slater—, ¿sabes dónde hay una tienda de alimentos por aquí cerca?

—Es ésta —dijo la chica—. A no ser que se refiera al supermercado Food Mart que está a veinte minutos por la carretera.

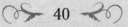

—Bueno, está bien. Seguro que podemos encontrar algo aquí. —La Sra. Slater ojeó las estanterías abastecidas con latas polvorientas—. ¿Tienen verduras frescas?

—Allí.

La chica apuntó con la barbilla hacia una nevera. Delante de ésta, un hombre mayor examinaba la fecha de vencimiento de un cartón de leche. Dentro de la nevera había lechuga marchita, unos cuantos tomates pálidos y unas manzanas mustias.

—Bueno, mami, tienes razón. Las verduras locales parecen bien frescas —murmuró Casey.

—Casey, ve por agua y yo buscaré algo para la cena —dijo su mamá frunciendo el ceño.

Casey la miró con resignación y se acercó a la nevera. El hombre todavía estaba allí, mirando el cartón de leche que sostenía en su mano arrugada.

—Con permiso —dijo Casey, intentado pasar.

Cuando el hombre volteó la cabeza, abrió

sus ojos azules como platos. Miró a Casey boquiabierto.

"¿Será sordo?", se preguntó Casey.

—Disculpe —dijo un poco más alto—. Sólo quiero alcanzar el agua.

El hombre por fin pareció comprender y se apartó lentamente.

Casey le agradeció, agarró dos botellas de agua y volvió junto a su mamá.

—¿Qué prefieres, cerdo con arvejas o espaguetis con albóndigas? —preguntó su mamá mostrándole dos latas grandes.

—Da igual, mamá. Ya, vamos —dijo Casey jalándole la manga. No sabía cómo decirle que se sentía incómoda porque el hombre la había mirado en una forma rara, como si tuviera miedo.

—Entonces cerdo con arvejas —dijo su mamá, y luego cogió un pan y dos latas de atún y llevó todo a la caja.

—Sabe, las latas de atún están en oferta. Cinco latas por cuatro dólares —dijo la chica de la caja.

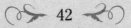

—Con dos tengo suficiente —dijo la Sra. Slater.

—¿Está segura? Es un precio muy bueno —dijo la chica con sequedad.

La Sra. Slater suspiró y fue a buscar tres latas más.

—¿Ustedes van al lago? —preguntó la chica.

—No, somos nuevos en el pueblo —dijo la Sra. Slater—. Recién compramos la casa al final de Camino Enebro.

—¿Esa casa? —La chica apartó sus manos de la caja registradora y las miró con cara de sorpresa—. Pero esa casa está...

¡Cataplof! El sonido la interrumpió. Todos se dieron la vuelta. El viejo había soltado el cartón de leche que sostenía en la mano. Tenía un charco de leche entre los pies, pero no parecía notarlo. Miraba directamente a Casey y sus manos temblaban violentamente.

—Ay, Sr. Anderson, debería tener más cuidado —protestó la cajera, y miró con exasperación a la Sra. Slater mientras le entregaba la bolsa—. Será mejor que traiga algo para limpiarlo. Buenas noches.

Mientras salían de la tienda, Casey miró por encima de su hombro y vio que el viejo la seguía mirando. También notó que el cielo se había puesto púrpura.

—Comeremos atún hasta que nos salga por las orejas —dijo la mamá de Casey mientras caminaban hacia el auto—. No te preocupes, cielo. Seguro que habrá alguna granja por aquí que venda sus productos.

—¿Qué crees que estuvo a punto de decir la chica? —preguntó Casey—. Sobre la casa, me refiero.

—¿Quién sabe? —respondió su mamá mientras buscaba las llaves del auto—. La casa estuvo vacía durante un tiempo. Quizás le sorprendió que alguien la hubiera comprado.

Casey entró en el auto y se abrochó el cinturón, intentando olvidar la idea que le preocupaba. Estaba casi segura de que la chica estuvo a punto de decir que la casa estaba embrujada.

CAPÍTULO CUATRO

Cuando llegaron a Camino Enebro, apenas quedaba luz en el cielo. La casa se veía lúgubre en el crepúsculo, una mancha más oscura en la oscuridad reinante. La idea de pasar allí la noche preocupaba a Casey. Se preguntó por qué no había luces encendidas.

Su padre estaba en el porche. Había descargado casi toda la camioneta y el porche estaba lleno de bolsas y cajas. Pero el Sr. Slater no movía nada. Solamente miraba al cielo.

—¿Qué miras? —preguntó la madre de Casey mientras salían del auto.

El papá de Casey señaló un par de sombras oscuras que revoloteaban en el aire.

—¿Golondrinas? —preguntó la mamá de Casey.

—Murciélagos —respondió.

—¿Murciélagos? —chilló Casey. De repente,

la casa oscura parecía más acogedora—. ¡Voy adentro!

—¡Y yo también! —dijo su mamá.

—Probablemente son inofensivos —dijo su papá, pero se agachó y agitó los brazos cuando uno voló demasiado cerca de su cabeza.

Dentro de la casa, la Sra. Slater encendió la luz de la entrada, pero no ocurrió nada.

—Ya lo intenté —dijo el papá de Casey mientras entraba, linterna en mano—. No funciona. Seguramente hace años que no hay electricidad.

El papá de Casey avanzó por el pasillo y el halo de la linterna alumbró el pie de la escalera, una telaraña en un rincón y la moldura de la puerta. Más allá del pequeño círculo de luz, la oscuridad parecía inmensa. Casey caminaba tan cerca de su mamá que le pisó un pie.

—¡Ay, Casey! —exclamó la Sra. Slater.

—Lo siento —murmuró Casey, pero cuando el círculo de luz siguió moviéndose, ella se apresuró a seguirlo.

En la cocina descubrieron que la electricidad

no era su único problema. La vieja estufa de gas tampoco funcionaba.

—Bueno, de todas formas hace demasiado calor para cocinar. Prepararé unos sándwiches de atún —dijo la mamá de Casey con un suspiro, y miró la cazuela de cerdo con arvejas que pensaba calentar—. ¿No les parece divertido? ¡Como si fuera un picnic en el campo! —añadió encendiendo unas velas que había sacado de una caja y poniéndolas junto a la manta que había dispuesto para cenar al pie de la chimenea.

Casey removió el cerdo y las arvejas frías de su plato. "Divertido" no era la palabra que le venía a la mente.

Mientras se llevaba una cucharada a la boca, las velas se apagaron.

—¡Ay! —dijo la Sra. Slater cuando la sala se quedó a oscuras. Buscó los fósforos y encendió de nuevo las velas.

Al rato, volvió a ocurrir lo mismo. Las llamas de las dos velas chisporrotearon y se apagaron de repente. Esta vez una de las velas cayó y rodó por el suelo.

—Debe de ser una corriente de aire —dijo la mamá de Casey mientras buscaba los fósforos.

—Déjalo, Dez —dijo el papá de Casey—. Mañana, cuando vaya al pueblo, veré cómo arreglo la electricidad.

Comieron a oscuras y en silencio. El cerdo frío con arvejas y el atún templado le dieron náuseas a Casey. Después de un par de bocados más, apartó el plato.

—No tengo mucha hambre —dijo—. Me voy a la cama...

Se detuvo porque se dio cuenta de que no sabía dónde debía acostarse. De repente, recordó el mensaje del espejo en la planta de arriba. Lo había olvidado con el revuelo.

—Creo que alguien estuvo en la casa —dijo.

—¿Qué quieres decir? —preguntó su mamá.

—Esta tarde, cuando estaba arriba, vi algo escrito en el espejo de una de las habitaciones.

—¿Un grafito?

—No, estaba escrito sobre el polvo.

—¿Qué decía? —preguntó su papá.

—Fuera de aquí.

—Seguramente son bromas de niños. El

agente inmobiliario nos dijo que hacía poco habían entrado en la casa. Echaré un vistazo.

Encendió la linterna y se dirigió a la escalera. Casey y su mamá lo siguieron de cerca.

—Era la última habitación, al final del pasillo —dijo Casey.

Cuando entraron, el Sr. Slater dirigió la luz al espejo.

—¿Dijiste que estaba escrito aquí?

—En el polvo —respondió Casey. Agarró la linterna y la dirigió al espejo.

—No veo nada —dijo su papá—. Quizás lo imaginaste, Casey. O quizás fue un efecto óptico.

—No lo imaginé —insistió Casey.

Movió el haz de luz arriba y abajo, pero su padre tenía razón. Allí no había nada. La superficie estaba perfectamente limpia.

CAPÍTULO CINCO

Esa noche, Casey tardó en dormirse. En su cuarto hacía mucho calor. Sus padres le habían dado la habitación pequeña y acogedora que estaba sobre la cocina. Como no había electricidad, el ventilador de techo no funcionaba y la única ventana que había sobre la cama de Casey estaba sellada con pintura.

Peor que el calor era el silencio. A diferencia de su apartamento en Manhattan, donde el ruido del tráfico de la Segunda Avenida era un tranquilizador recordatorio de la vida que había afuera, en la casa de Stillness había un silencio inquietante. Con su imaginación Casey amplificaba y adornaba cada sonido, por insignificante que fuera. El rumor de las hojas era un preso fugitivo. El ladrido de un perro era definitivamente el de un perro rabioso. Hubo un golpecito en la

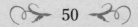

ventana y Casey se levantó corriendo a despertar a su papá (la investigación realizada con la linterna reveló que la culpable era una polilla).

Y luego estaba el empapelado de la pared. Durante el día, el dibujo de hojas de helecho parecía agradable y relajante. Pero ahora, bajo la luz de la luna, las hojas parecían serpentear y retorcerse. El goteo de una llave al final del pasillo daba un ritmo siniestro a la gran imaginación de Casey.

Al alba, por fin consiguió conciliar un sueño intranquilo.

Soñó que jugaba al escondite dentro de la casa. Había otros niños, pero Casey no los veía desde su escondite. Escuchó el sonido de pisadas que se acercaban y, de repente, algo así como: "Preparada o no, allá voy...".

Casey se despertó sin saber bien dónde estaba. Lentamente, la oscuridad a su alrededor le abrió el paso a las cortinas, la mesita, la silla. La voz cantarina de su sueño aún resonaba en sus oídos y por un momento

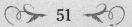

se preguntó si la habría escuchado de verdad.

"No —pensó despertándose del todo—. Claro que no la escuché. Eso fue alrededor de medianoche y las únicas personas cerca eran mis padres".

Se quedó en la cama un buen rato, preocupada pero sin saber por qué. El cielo empezaba a aclarar cuando se quedó dormida de nuevo.

Cuando abrió los ojos, el sol inundaba su habitación. Los pájaros cantaban y parloteaban en los árboles. Se levantó de la cama y se puso los pantalones cortos del día anterior y una camiseta limpia.

Encontró a su madre en la cocina, desempacando una caja con platos. La Sra. Slater llevaba unos *jeans* viejos y su cabello oscuro y abundante estaba recogido con un pañuelo azul. Casey pensó que se veía distinta que en la ciudad. Parecía joven y feliz.

—Buenos días, dormilona —dijo su madre—. Te has levantado tardísimo.

—No dormí bien —admitió Casey.

—Bueno, siempre lleva tiempo acostumbrarse a una nueva casa —dijo su mamá poniendo un plato en la alacena—. ¿Quieres desayunar? ¿Qué tal un sándwich de atún?

Casey puso cara de asco.

—Toma un pedazo de pan. Te ofrecería mantequilla pero no encuentro los cuchillos.

Casey tomó un trozo de pan de la hogaza. Se apoyó contra el fregadero y masticó.

—¿Dónde está papá?

—Sacando las últimas cajas de la camioneta. Tiene que entregarla esta mañana en la ciudad y hacer algunos encargos. Yo lo recogeré esta tarde.

El papá de Casey entró lentamente en la habitación y se detuvo en medio de la cocina mientras miraba a su alrededor y se pasaba las manos por el cabello.

—¿Alguien ha visto las llaves de la camioneta?

—¿Dónde las dejaste? —preguntó la mamá de Casey.

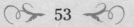

—Pensé que las había dejado en la repisa de la chimenea, pero no están allí. Y miré por todas partes.

Casey y su mamá dijeron no haberlas visto.

—Umm —gruñó el papá de Casey saliendo de la habitación.

Las dos lo oyeron buscar en las cajas de la sala y al poco tiempo lo vieron en la puerta de la cocina con las llaves en la mano.

—¡Las encontré! No creerán dónde estaban.

—¿En tu bolsillo? —dijo la Sra. Slater.

—No. En el baño, detrás del sanitario.

—¿Y cómo llegaron allí? —preguntó sorprendida.

—No tengo ni idea —respondió él, y miró a Casey.

—¡A mí no me mires! —dijo ella—. ¿Para qué querría yo las llaves de la camioneta?

—No tengo idea —replicó su papá—. Bueno, me marcho. Nos vemos en la tarde.

—No quiero seguir desempacando —dijo

la Sra. Slater luego de que su esposo saliera—. Se me ocurre que tú y yo podríamos divertirnos explorando el ático.

—¿Hay un ático? —preguntó Casey.

—Sí, y está lleno de cosas. Los últimos dueños no se molestaron en limpiarlo. Quién sabe qué encontraremos allí.

Los ojos de la Sra. Slater brillaron al hablar. Era una apasionada de los mercados de pulgas. Podía pasar horas en tiendas de antigüedades y de segunda mano revolviendo entre las pertenencias anteriores de otras personas. Casey sabía que un ático lleno de basura por descubrir era como un sueño hecho realidad.

—Claro —dijo Casey—. Es mucho mejor que abrir cajas.

Mientras subía a la segunda planta, intentó llamar a Jillian, pero no había línea, y deseó que uno de los encargos de su papá fuera solicitar una línea telefónica.

Las escaleras que llevaban al ático estaban al final del pasillo de la segunda planta, detrás de una puerta que Casey

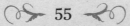

pensaba que daba a un armario. Mientras subían, con cada peldaño el aire parecía cada vez más pesado. Casey se pasó la mano por la frente.

"A este sitio no le vendría mal un aire acondicionado", pensó.

Las escaleras llevaban a un agujero en el piso del ático.

—¡Vaya! —exclamó Casey cuando llegó.

El ático era casi tan largo como la casa y de un extremo a otro se amontonaban todo tipo de trastos.

—¡Aquí tiene que haber verdaderos tesoros! —dijo la Sra. Slater con cara de haber acabado de ganar la lotería.

—El aire huele a rancio —dijo Casey abanicándose con una mano—, y hace mucho calor. Casi no puedo respirar.

—Dejemos entrar aire fresco —dijo la Sra. Slater. Se acercó a una ventana pequeña y mugrienta que había en un rincón y la abrió.

Casey rebuscó en un viejo escritorio mientras su mamá empezaba a revisar las cajas. El cajón de arriba estaba lleno de pañuelos. Todos tenían la letra H bordada en una esquina.

Casey sacó uno con la punta de los dedos. Estaba manchado y amarillento por los años. Lo volvió a guardar en el cajón y se limpió las manos en los pantalones.

En el siguiente cajón, Casey encontró un montón de fotos en blanco y negro. Las revisó rápidamente. En la mayoría salían siempre las mismas personas: un hombre y una mujer en distintos lugares, posando sin sonreír. Junto a un viejo auto. En la playa, con trajes de baño raros. Delante de una casa, sujetando la mano de una niña pequeña. Casey miró con atención y se dio cuenta de que la casa que se veía en el fondo era su nueva casa. Parecía distinta, estaba pintada de blanco y tenía canteros con flores en la parte delantera.

—Casey, mira esto.

Su mamá sostenía una caja de madera llena de libros. Casey la agarró y miró los títulos. Casi todos eran novelas para niños:

Peter Pan, El libro de la selva, La isla del tesoro y otros cuentos que no conocía.

Casey tomó uno de los libros y pasó las páginas. Tenía ilustraciones de pájaros azules y de niños y niñas con las mejillas sonrosadas.

—Ahora tendrás libros de sobra para leer este verano —dijo su mamá mientras iba hacia el otro lado del ático.

Casey dejó los libros y se levantó el cabello. Abrir la ventana no había servido de mucho y el calor era opresivo. Pero eso no era lo único que le preocupaba. Había algo en el ático que la ponía nerviosa y la hacía sentirse atrapada.

—¡Ay! —exclamó de repente la Sra. Slater—. ¡Qué maravilla!

Casey se acercó. En un rincón del ático su madre había encontrado un baúl grande con una cerradura de latón y asas de cuero.

—¿Qué es? —preguntó Casey.

—Un viejo baúl de viaje —respondió su mamá—. La gente los usaba para viajar,

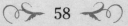

cuando aún no existían las maletas. —Estudió el baúl con ojo experto—. Es muy difícil encontrar uno en tan buen estado. Me pregunto qué habrá dentro. Pero está atascado o cerrado y no veo ninguna llave.

Al mirar el baúl, Casey sintió una extraña sensación.

—Si no hay llave, no podemos abrirlo, ¿verdad? Dejémoslo.

—Espera un momento, quiero intentarlo. Podría haber algo bueno adentro.

La Sra. Slater revolvió por todas partes hasta que encontró un abrecartas oxidado.

Casey sintió que su malestar aumentaba. Mientras su mamá jugueteaba con la cerradura, Casey empezó a sentir pánico.

—¡No lo abras! —gritó.

—¡Casey! Pero, ¿qué ocurre?

—No sé.

Casey no podía explicar por qué el baúl le parecía tan terrorífico.

—Bueno, no parece que vaya a ceder —dijo su mamá mientras intentaba abrirlo una vez más. Luego miró a Casey—. Estás

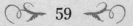

un poco pálida. ¿Por qué no descansas y sales a tomar aire? Yo acabaré aquí.

Casey asintió, aliviada de poder marcharse de allí. Mientras bajaba la escalera, todavía se sentía temblorosa. Quería llamar a Jillian. Su mejor amiga tendría alguna explicación divertida y las dos podrían reírse de ello. A pesar del clima, la primera planta estaba fresca. Se le erizó el cabello de la nuca. Tenía la sensación de que la estaban observando.

Casey miró sobre su hombro. La escalera estaba vacía. Miró en la sala y en el comedor. También estaban vacíos.

"Estoy imaginándome cosas —pensó—. Mamá tiene razón. Probablemente necesito aire fresco".

Se dirigió a la puerta principal, pero quedó paralizada de repente. Había una cara en la ventana de vidrio. Un rostro pálido que la miraba.

Casey chilló.

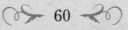

CAPÍTULO SEIS

El rostro desapareció en un instante. Y un segundo más tarde, Casey escuchó un fuerte golpe, seguido de una queja. Con el corazón latiendo a toda velocidad, corrió hacia la puerta principal y la abrió.

En el porche había un chico. Estaba inclinado agarrándose el dedo gordo del pie, como si se lo acabara de golpear. Cuando vio a Casey se quedó quieto. Tenía una expresión medio culpable y medio curiosa a la vez.

—¿Qué haces? —preguntó Casey. Estaba asustada y su voz salió en un tono más alto de lo que le hubiera gustado.

—Traje comida —dijo el chico soltándose el pie y señalando un plato cubierto con papel de aluminio que había dejado frente a la puerta—. Lo envía mi mamá. Vivimos en

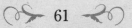

la casa verde enorme que está camino abajo. Me llamo Erik Greer.

Era un poco más alto que Casey, con la barbilla cuadrada y los ojos de un azul grisáceo claro. Tenía el cabello rubio revuelto como si fuera un montón de merenque.

Casey recordó el mensaje del espejo. ¿Lo habría escrito él? Quizás la comida no era más que una artimaña y en realidad estaba espiando la casa para entrar a escondidas de nuevo.

—¿Por qué mirabas por la ventana? —preguntó Casey.

—Quería ver si había alguien —dijo el chico, encogiéndose de hombros—. Toqué el timbre, pero creo que no funciona. No quería asustarte. Pero tú sí que sabes gritar.

Casey sintió que se sonrojaba.

—¿Casey? —La Sra. Slater llegó a la puerta—. Hola. Me pareció oír voces. Soy Desiree Slater. Acabamos de mudarnos.

—Erik Greer —dijo el chico—. Vivimos

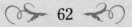

un poco más abajo por el camino. Mi madre les envía algo para el almuerzo. Habría venido ella misma, pero está muy ocupada con las niñas y la abuela.

La Sra. Slater miró el plato que estaba en el suelo. Lo recogió y sonrió amablemente.

—Son muy amables. Dale las gracias a tu mamá. Quiero conocerla y veo que tú ya has conocido a mi hija Casey.

—Oficialmente, no. —Erik miró a Casey y arqueó las cejas—. Encantado de conocerte, Casey. —Ella no dijo nada. Se dio cuenta por su sonrisa que estaba bromeando—. Creo que la asusté. Gritó cuando me vio —añadió Erik.

—No es culpa tuya —dijo la Sra. Slater—. Es esta vida campestre la que tiene a Casey con los nervios de punta.

Casey miró a su madre con furia. Pensó que era de muy mala educación hablar de ella como si no estuviera allí. No le gustaba mucho ese chico con su petulante sonrisa. Esperaba que se fuera pronto.

—¿Puedes quedarte a almorzar, Erik? —preguntó la Sra. Slater.

—Tengo que marcharme —respondió Erik rápidamente—. Mamá dice que no se preocupen de devolver el plato. Hasta luego —añadió. Se dio la vuelta y se dirigió al camino.

—Qué lindo —dijo la Sra. Slater a Casey.

—¡Shhh, mamá! Te oirá —susurró Casey—. De todas formas no creo que sea tan lindo —dijo sin dejar de mirar a Erik mientras este desaparecía por el camino.

—Fue muy amable en traer el almuerzo —dijo su mamá—. Tengo muchas ganas de probar la cocina local.

Levantó el papel de aluminio con entusiasmo, pero su rostro cambió de expresión rápidamente.

—¿Qué ocurre? —preguntó Casey—. ¿Qué es?

—Guiso de atún —dijo la Sra. Slater y suspiró.

—Ven si quieres —dijo la Sra. Slater a Casey

esa tarde antes de ir a la ciudad a recoger a su esposo—, pero sería bueno que pasaras un rato desempacando. No quiero que tengas las cosas en la maleta todo el verano.

—Entonces me quedo —dijo Casey.

En cuanto su mamá se fue, Casey se arrepintió de su decisión. Sin sus padres, la casa parecía aun más tenebrosa.

Casey desempacó la maleta en su habitación, doblando con cuidado la ropa y poniéndola en los cajones de la cómoda, que se llenó mucho antes de que ella terminara de vaciar la maleta. Casey se arrepintió de haber llevado tanta ropa. Se daba cuenta de que en New Hampshire no iba a ponerse su falda azul ni sus sandalias de plataforma.

Guardó la maleta medio llena debajo de la cama. Luego se quedó sentada sobre sus talones, apartando mechones de cabello húmedo de su rostro. El más mínimo esfuerzo la hacía sudar. Se levantó el cabello

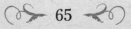

sobre la nuca para refrescarse, mirando con resentimiento el ventilador de techo.

—¿Para qué sirve un ventilador eléctrico si no hay electricidad? —refunfuñó para sí misma.

Al caer la tarde, la habitación de Casey empezó a quedarse en penumbra. No faltaba mucho para que anocheciera y pensó que no podría soportar ni un segundo estar en la casa oscura y vacía.

Al pararse, sintió una brisa fresca en la nuca. Levantó la mirada y vio que el ventilador giraba lentamente.

—¿Pero qué...?

Miró las ventanas, pensando que quizás una brisa lo hubiera hecho mover, pero las dos ventanas estaban cerradas.

El ventilador empezó a girar más rápido, soplando mechones de su cabello. En ese momento, las luces del techo se encendieron. El resplandor de la repentina luz hizo saltar a Casey. Oyó un murmullo que venía de algún lugar de la primera planta. Sintió el

corazón en la garganta. ¿Acaso eran... voces?

Contuvo la respiración y escuchó. Sí, definitivamente eran personas hablando, a veces escuchaba la voz grave de un hombre y a veces varias voces a la vez. Casey no entendía lo que decían. Las palabras se oían confusas, interrumpidas por la estática. También le pareció oír una música.

El ventilador giraba ahora a tanta velocidad que su base temblaba. De repente, una de las aspas de madera se soltó. Atravesó el aire y golpeó la pared justo al lado de la cabeza de Casey, que gritó y salió corriendo.

En el pasillo, las luces resplandecían. Casey oyó el zumbido de los ventiladores de las otras habitaciones. El ruido que venía de abajo aumentó y Casey notó que provenía de la sala. Se quedó quieta, paralizada entre sus ganas de escapar y el miedo que sentía de lo que hubiera allá abajo.

Entonces recordó que había una puerta trasera en la cocina.

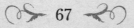

Bajó corriendo las escaleras, saltando peldaños y tropezándose en su afán por escapar a toda velocidad. Las luces de la cocina y del comedor también estaban encendidas. Desde la sala llegó un estallido de música, una melodía de jazz que de repente dio paso a la voz profunda de un hombre. Casey se detuvo de golpe. Reconocía esa voz. Pertenecía a un presentador muy popular.

Cambiando de dirección, Casey se acercó lentamente a la sala atravesando el comedor. Al igual que en las demás habitaciones, las luces estaban encendidas y el ventilador de techo zumbaba, pero no había nadie allí. En un rincón, la enorme radio de madera funcionaba a todo volumen, cambiando de una emisora a otra.

De pronto, todas las luces se apagaron y la radio dejó de sonar. En unos segundos, la casa volvió a quedar a oscuras y en silencio. Casey abrió la puerta con manos temblo-

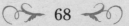

rosas. Tomó aire varias veces en el porche e intentó pensar.

Siempre que se encontraba con algo sospechoso o extraño se imaginaba lo peor. Pero ahora que había ocurrido algo realmente terrorífico, se encontró a sí misma intentando buscar una explicación razonable.

—Papá pensaba resolver el problema de la electricidad —se dijo—. Probablemente consiguió que nos dieran suministro y todo se encendió de golpe. Eso es todo.

Pero eso no la tranquilizó. Miró hacia el camino. Pensó en ir en busca de algún vecino, pero el sol había empezado a ponerse detrás de los árboles. El bosque entre ella y la casa más cercana estaba envuelto de sombras.

"Y, ¿qué les diría? —pensó—. ¿Que se encendieron las luces y me asusté?"

Demasiado alterada para entrar en la casa y temerosa de aventurarse más allá, se sentó en los peldaños del porche. Seguía allí sentada, media hora más tarde, cuando

el auto de sus padres apareció por la curva. Casey dio un salto y corrió hasta él.

—¿Por qué tardaron tanto? —gritó.

—Encontramos una maravillosa granja cerca de la carretera. —Su mamá sostenía una bolsa de papel llena de verduras—. Prepararé una enorme ensalada para la cena.

—También nos detuvimos en una tienda —dijo su papá mientras empezaba a sacar bolsas del maletero—. Casey, ven a ayudarme a meter estas bolsas en casa.

—¿Y también fuiste a la compañía eléctrica, verdad? —preguntó Casey sin moverse—. ¿Conseguiste que conectaran la electricidad?

—Bueno, lo intenté —dijo él—. Pero me dijeron que esta casa no aparece en su red de suministro. Enviarán a alguien mañana para comprobar si estamos conectados.

—Cariño, ¿ocurre algo? —preguntó su mamá al ver el rostro pálido de Casey.

—Todo se encendió de repente, las luces, los ventiladores, la radio... todo se encendió de golpe.

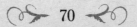

—Eso es poco probable —dijo su papá—. Según la compañía eléctrica, no deberíamos tener electricidad.

—Pero se encendió —insistió Casey—. ¡Mi ventilador empezó a girar a tanta velocidad que una de las aspas salió disparada y casi me da en la cabeza!

Casey llevó a sus padres hasta su cuarto y les mostró el ventilador roto.

—Qué raro —dijo su papá mientras examinaba el aspa rota. Pulsó el interruptor varias veces pero nada sucedió—. Quizás la compañía eléctrica esté equivocada. No sería la primera vez. Las demás aspas también podrían estar sueltas. Tendré que instalar un ventilador nuevo. Esto podría haberte dado en un ojo.

—No quiero dormir aquí —dijo a sus padres.

—Pero ¿y dónde vas a dormir? —preguntó su mamá.

—Podría dormir con ustedes —sugirió Casey. Sabía que sonaba infantil, pero en ese momento no le importaba.

—Cielo, fue un accidente —dijo su mamá abrazándola, dándole a entender que la respuesta era negativa—. No hay nada de qué preocuparse. Papá arreglará el ventilador.

—Todo estará bien, ya verás —añadió su papá.

Esa noche cuando Casey se acostó, su mamá fue a arroparla. Por la tarde habían comprado varias linternas, y dejó una junto a la cama de Casey.

—¿No te parece que ésta es la habitación más linda? —La Sra. Slater se sentó al borde de la cama y miró a su alrededor—. Hay que pintar las paredes, claro. Había pensado en un color azul con un borde blanco. Y te buscaremos una colcha a juego. ¿Te gustaría?

—Ummm —dijo Casey. Le daba igual el color de las paredes. No haría que se sintiera mejor—. Mamá, ¿puedo hacerte una pregunta?

—Claro, cielo.

—¿Tú crees en fantasmas?

—¿Fantasmas? —La Sra. Slater arqueó las cejas—. No, mi niña, la verdad es que no. ¿Por qué preguntas?

—No sé. —Casey encogió los hombros—. Es que... esta casa. Me da un poco de miedo.

—Es una casa muy vieja —dijo su mamá—. No es como nuestro apartamento en Nueva York. Es lógico que tenga algunas cosas raras. No te dejes llevar por tu imaginación, ¿bueno?

—Bueno —dijo Casey.

—Dejemos de hablar de fantasmas y duérmete. Mañana tenemos otro gran día por delante.

La Sra. Slater besó a su hija en la frente, apagó la linterna y salió de la habitación.

Casey se quedó acostada en la oscuridad por un momento. Después encendió la linterna. Quizás su madre tuviera razón. Seguramente estaba imaginándose cosas.

"Pero es mejor dejar la luz encendida —pensó—, por si acaso".

CAPÍTULO SIETE

Al día siguiente, después del desayuno, Casey fue en bicicleta hasta el pueblo con varias monedas en el bolsillo. En la gasolinera, llamó a Jillian desde el teléfono público.

—¡Ay, no! —chilló Jillian cuando respondió la llamada—. Chica, ¿dónde estabas? ¡Te llamé al celular mil veces! ¡Pensé que te habías muerto!

Era estupendo oír la voz alegre de Jillian. Casey apretó más fuerte el teléfono.

—Aquí no hay cobertura y aún no tenemos teléfono en la casa. Te llamo desde un teléfono público.

—Suenas como si estuvieras en Marte —dijo Jillian.

—Marte, New Hampshire... es lo mismo —bromeó Casey—. Espera, creo que veo un marciano. ¿Llevan camisas de franela y manejan camionetas?

—Tengo tantas cosas que contarte —dijo Jillian riendo—. ¡Deja que te cuente lo que ocurrió en la fiesta de Makayla!

Casey se recostó contra la pared de la gasolinera mientras Jillian se enfrascaba en su historia. Describió con detalle la ropa de la gente y quién había coqueteado con quién.

—Suena divertido —dijo Casey con envidia.

—¡Espera! Falta lo mejor —dijo Jillian—. ¿Recuerdas a David, el de nuestra clase de matemáticas?

—¡Espera, espera! —interrumpió Casey. Una voz grabada decía "Por favor inserte un dólar para continuar esta llamada". Casey buscó en su bolsillo y metió las monedas en el teléfono—. Sigue.

—Andrew le dijo a Leela que David pensaba que yo era linda —continuó Jillian—. Así que cuando vi a David en la fiesta me acerqué y le pregunté si le gustaría que saliéramos juntos.

Casey casi se quedó sin aliento.

—¿Quieres decir que le pediste que saliera contigo? ¿Una cita?

—Sí —dijo Jillian.

—¿Y qué dijo él?

—¡Dijo que sí! —respondió Jillian—. ¿Qué crees? Iremos al cine el viernes y mamá dice que está bien porque vamos en grupo. Pero todo el mundo sabe que es una cita de verdad.

—Madre mía, eso es... genial —dijo Casey e intentó tragar a pesar del nudo que sentía en la garganta.

"Me alegro por Jillian. Me alegro", se dijo a sí misma. Pero una parte de sí quería llorar. Jillian iba a fiestas e iba a salir con un chico. Todas las cosas que habían planeado hacer juntas ese verano ahora Jillian las haría sin ella.

—En fin, ¿y tú cómo estás? —preguntó Jillian—. ¿Cómo es tu casa nueva?

—Eh... grande —dijo Casey dudosa.

Había pensado contarle a Jillian la situación tan extraña que había vivido el día anterior. Pero ahora, a plena luz del día, parecía una tontería. Casey recordó lo que Jillian había dicho sobre el fantasma de la niña en la alcantarilla.

"Probablemente pensará que estoy exagerando", se dijo.

—¿Conociste a algún chico? —preguntó Jillian.

—No —respondió Casey—. Quiero decir, sí. Uno. Un chico llamado Erik.

—¿Es guapo? —preguntó Jillian con interés.

—No sé —dijo Casey frunciendo el ceño—. Supongo. Pero eso...

"Por favor, inserte un dólar para continuar —dijo de nuevo la voz grabada—. Por favor, inserte..."

—¡Ya, ya! —Casey metió la mano en el bolsillo, pero ya había gastado todas las monedas—. Jillian, tengo que colgar. Te llamo pronto. Te extra...

Clic. La llamada se cortó.

Casey se quedó un rato al lado del teléfono, deseando que Jillian la llamara. Pero el teléfono no sonó y, después de un rato, el empleado de la gasolinera empezó a mirarla.

Finalmente, con un suspiro, Casey recogió su bicicleta y volvió a casa. Cuando llegó, vio un camión desconocido estacionado en el camino. Dejó la bicicleta frente al porche y entró.

Sus padres estaban en la cocina, hablando con un hombre que llevaba una camisa y una gorra del mismo color azul claro. En la gorra se leía ELECTRICIDAD DUSSY.

—Este es el problema —decía el hombre mientras sostenía un cable desgastado—. Los cables que conectaban con la caja de fusibles estaban desgastados. Ya los he cambiado pero quizás deban pensar en cambiar la instalación de toda la casa y poner una nueva caja de fusibles.

—¿Cuánto cuesta eso? —preguntó el papá de Casey con desagrado.

—No es barato, pero sería mucho más

seguro —dijo el electricista echándose la gorra hacia atrás—. Al menos ahora tendrán electricidad.

—Pero ya teníamos, ¿verdad? —dijo Casey—. Ayer funcionaba.

—No creo —dijo el hombre—. El cable principal estaba totalmente desgastado. Esta casa no ha tenido electricidad desde hace años.

CAPÍTULO OCHO

Casey no encontró una explicación para el extraño episodio eléctrico. Pero logró apartarlo a un rincón de su mente.

Pasó el tiempo y sus días empezaron a ser rutinarios. La mayoría de las mañanas, después de desayunar, Casey iba al pueblo en bicicleta para llamar a Jillian desde el teléfono público de la gasolinera. (Sus padres aún no habían pedido línea telefónica para la casa. Cuando Casey les preguntó, su papá se encogió de hombros y dijo que quería un poco de paz y tranquilidad). Sin embargo, Jillian solía estar muy ocupada para poder hablar un rato largo. Siempre estaba a punto de ir al cine o a algún evento en el parque, normalmente con David. Casey pensaba que Jillian estaba viviendo su mejor verano y no necesitaba de ella.

Las tardes las pasaba vagando por el

jardín. La casa estaba ubicada en un lote de medio acre bordeado por un bosque. Casey recogía flores e intentaba hacer cadenas de margaritas. Coleccionaba piedras con formas curiosas. Preparaba meriendas con lo que su madre conseguía en la granja: frutas con sirope de arce, dulces de azúcar quemado o sándwiches de tomate y pepino. Veía películas en su computadora. Escuchaba música. Pintaba sus uñas. En resumen: se aburría como una ostra.

Sus padres sabían que no estaba contenta, pero no hacían nada para ayudarla. Su aburrimiento sólo parecía enojarlos.

—¡Por favor, Casey, ya tienes edad para entretenerte tú sola! —dijo su papá cuando ella se quejó de que no había nada que hacer.

La excursión al lago cercano se les había olvidado, pasaban todo el tiempo reparando la casa. Su papá puso un ventilador nuevo en su dormitorio, arregló la barandilla del porche y revisó la vieja cocina de gas hasta que logró que funcionara. Su mamá quitó

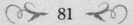

el papel de las paredes, pintó los marcos de las ventanas y colgó cortinas. Varias semanas después, la casa se veía más habitable. Pero para Casey nunca fue cómoda ni acogedora. A pesar de la pintura nueva y de las cortinas, la casa nunca perdió del todo su aire de abandono.

Las noches eran lo peor. Había luz, pero a menudo parpadeaba, y entonces Casey sentía miedo. Por la noche, sola en su dormitorio, la oscuridad la oprimía. En esos momentos su imaginación se desbocaba.

Un día, cuando llevaban en la casa más de tres semanas, Casey llegó a su momento de mayor aburrimiento. Sus padres estaban arriba, arrancando el empapelado de las paredes mientras Casey vagaba por la casa, buscando desesperadamente algo que hacer. La televisión apagada estaba contra la pared de la sala, pero no tenía cable para enchufarla. No podía hablar con sus amigas ni navegar en Internet. Incluso la batería de su MP3 se había agotado. En un rincón de la sala, sobre unas cajas que no se habían molestado en desempacar, Casey descubrió la caja llena de libros que su mamá había encontrado en el ático. Los hojeó. Casi todos eran de aventuras, ilustrados con escenas de barcos piratas y animales parlantes. En la portada de cada libro alguien había escrito las letras M.A.H.

Casi al fondo de la caja Casey encontró un pequeño libro de cubierta de tela roja y sin título. En la primera página había un nombre escrito en letra cursiva con una caligrafía irregular:

MILLICENT AMELIA HUGHES

"M.A.H. —pensó Casey—. Millicent Amelia Hughes. Estos deben ser sus libros".

Pasó la página. *26 de mayo de 1939*, decía en la parte de arriba. Después había más texto escrito con esa letra chapucera, bloques de escritura separados por fechas.

Casey se dio cuenta de que era un diario y dudó qué hacer. Siempre le habían dicho

que era de mala educación leer el diario de otra persona.

"Pero a Millicent Amelia Hughes obviamente no le importaba que otra persona leyera su diario —pensó—, o no lo habría dejado en un ático donde cualquiera podría encontrarlo".

Casey se sirvió un vaso de agua fría en la cocina y salió al porche con el diario. Se acomodó en la mecedora del porche y abrió la primera página.

La escritura inclinada era difícil de leer. Trató de descifrar las primeras palabras. Decía: "Querido amigo...".

CAPÍTULO NUEVE

26 de mayo, 1939

Querido amigo:

Hoy mamá me dio este diario. Me dijo que lo usara para practicar mi caligrafía. "Escribes tan mal como un mono", me dijo. Y yo dije: "¿Cómo lo sabes? ¿Viste alguna vez la letra de un mono?". Mamá miró al cielo con desesperación, como si dijera: "Señor, ¡qué cosas tengo que soportar!".

Últimamente mamá mira al cielo muy a menudo. Lo hizo cuando me vio chupando la savia de un árbol y cuando me manché con lodo la ropa de la escuela al atravesar el río. Le oí decirle a papá que teme que me vuelva una pueblerina por vivir aquí en Stillness. "¿Cómo va a encontrar un buen esposo?", le oí decir una vez. Me importan un bledo los esposos. Cuando sea grande quiero ser enfermera porque me gustaría cuidar a los

demás, pero si lo digo mamá empieza a quejarse. Es mejor que me concentre en practicar mi caligrafía.

Vinimos a Stillnes hace seis meses por el trabajo de papá en el banco de Stillwater. Antes vivíamos en Manchester. Mamá siempre dice que somos muy afortunados porque papá encontró este trabajo tan bueno, pero sé que en realidad extraña la ciudad. Cuando vamos al almacén siempre está suspirando bajito, y sé que está pensando: "El café era mejor en Manchester. Las galletas no estaban rancias en Manchester".

Pero a mí me gusta vivir aquí en Stillness. Hay muchos árboles y flores lindas y un río que puedo atravesar (siempre que no me moje la ropa). Papá plantó un olmo junto a la casa. Dice que cuando sea lo suficientemente grande colgará un columpio para mí. ¡Espero que crezca rápido! Mientras tanto tendré que conformarme con la mecedora del porche.

A mi gata, Baguera, también le gusta vivir aquí. Se queda al acecho entre el pasto, como si fuera una pantera y no una simple gata

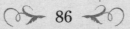

gris. *Hoy la vi persiguiendo grillos. Así que aquí tengo todo lo que necesito... o casi todo. Desearía tener una amiga. No hay niñas de mi edad en Camino Enebro, sólo un chico que se llama Gunner Anderson. Tiene doce años, la misma edad que yo, pero no me cae bien. Piensa que es muy listo. También hay una familia sueca, los Henriksson. Tienen montones de niños y una niña, Anna. Pero acaban de llegar de Suecia y no entiendo lo que dicen. De todas formas, Anna es muy chica para ser mi amiga, pues tiene solo seis años y yo doce.*

Pero ahora, querido diario, tú serás mi amigo. Te contaré todos mis secretos, como si fueras un amigo de verdad.

Besos,
Millie

27 de mayo
Querido amigo:
Hoy encontré un pajarito que Baguera cazó. No parecía tan mal herido, pero estaba tan asustado que ni siquiera pió cuando lo

agarré. Noté su pequeño corazón latiendo a toda velocidad. Encontré una vieja caja de sombreros y le hice un nido con pasto, hojas y algunos pétalos de las flores amarillas de mamá. Puse el pájaro dentro y traté de darle agua con una cucharilla.

Después, cuando atrapé a Baguera, le di un buen regaño, pero ella solo movió la cola. No parecía arrepentida.

Cuando esté mejor quizás el pájaro pueda ser mi mascota. Podría pasearme por el pueblo con el pajarito sobre mi hombro, como Long John Silver con su loro. ¡Sería fabuloso!

Ahora estoy más segura que nunca de que quiero ser enfermera. Cuidaré muy bien de cualquiera que esté enfermo para que nunca sufra ni muera.

Besos,
Millie

28 de mayo
Hoy hubo un enorme revuelo en Camino Enebro. Mamá, papá y yo estábamos

almorzando cuando vimos por la ventana que la Sra. Henriksson venía corriendo por el camino. Su cabello suelto y su delantal ondeaban al viento. Parecía muy angustiada.

No habla nuestro idioma muy bien, así que nos costó un poco entender lo que decía. Pero después de muchas señas con las manos, lo comprendimos: ¡La pequeña Anna había desaparecido!. Se había marchado por la mañana y toda la familia Henriksson estaba muy preocupada.

Ninguno de nosotros la había visto, pero nos sumamos a la búsqueda. ¡Anna, Anna!, la llamamos. Caminamos por el campo y el bosque que hay entre las dos casas, pero no la encontramos.

Cuando llegamos a la casa de la familia Henriksson, los cuatro niños estaban allí (el Sr. Henriksson había salido y no volvería hasta la noche). Su hijo mayor, Johan, nos dijo que esa mañana Anna había ido a buscar huevos en el gallinero y no había regresado.

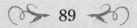

En ese momento, supe dónde estaba. No sé cómo, pero lo supe.

Fui al granero y abrí la puerta. Uno de los gemelos (creo que era Alf) dijo algo y, aunque realmente no le entendí del todo, supe que decía que ellos ya habían revisado el granero. De todas formas, entré.

Y allí la encontré, acurrucada en la paja como un pajarito en su nido. Estaba dormida tan profundamente que no había oído que la llamaban. Entonces se produjo un gran revuelo. Anna se despertó y comenzó a llorar. Pero entonces la Sra. Henriksson me abrazó y Anna también me abrazó. Es una niña tan linda, con sus rizos rubios y sus enormes ojos azules. Me recuerda a una muñeca de porcelana.

Después de eso, volvimos y acabamos el almuerzo. Para el postre, mamá me dio un segundo pedazo de torta porque yo era una heroína.

Besos,
Millie

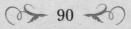

30 de mayo

Querido amigo:

Últimamente he tenido los sueños más raros. Anoche soñé que estaba en un lugar con mucha luz. Las luces parpadeaban a mi alrededor y se oía un fuerte rugido. Yo no dejaba de gritar: "¡Despierta, despierta!". No sé por qué. La última vez, grité tan alto que me desperté. Podía haber sido divertido, pero el sueño me dejó una sensación desagradable. Llevo todo el día de mal humor.

Firmado,
Millie la gruñona

1 de junio

Querido amigo:

Hoy caminaba cerca de la casa de Gunner y lo vi en el camino. Jugaba a las canicas con los gemelos Henriksson, Alf y Charles. Anna Henriksson también estaba allí, mirando, porque los niños no la dejaban jugar.

Como ya dije, no me gusta Gunner, así que pensaba pasar de largo, pero no podía irme sin decirle hola a Anna. La saludé con la

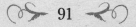

mano y grité: "¡Hola Anna!". Y ella me saludó también.

Entonces oí a Gunner decir en voz bien alta que su colección de canicas era espectacular, "la mejor de todo el condado". No puedo soportar cuando Gunner se pone a presumir (que es siempre), así que decidí hacerle una broma. Dije: "¿Gunner, quieres jugar un juego?", y él dijo: "Bien". Así que le pedí que escondiera una canica en una mano y si yo adivinaba en qué mano estaba, me la quedaría. Si no lo adivinaba, yo le daría una moneda de cinco centavos. En la tienda del pueblo venden tres canicas por cinco centavos, así que Gunner pensó que estaba haciendo un negocio redondo. Además, pensaba que una chica nunca podría ganarle en nada.

Así que Gunner escondió la canica y ¡sorpresa! Yo adiviné en qué mano estaba. Gunner no podía creerlo, así que lo hicimos otra vez, y de nuevo acerté. ¡Ya tenía dos canicas! Pero entonces los gemelos estaban riéndose de él y tomándole el pelo y Gunner

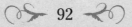

se estaba poniendo furioso. Jugamos otra vez, pero esta vez puso la canica en su bolsillo y, ¡yo lo volví a adivinar!

Lo que Gunner no sabía es que juego a esto con papá todo el tiempo. Cada día, papá viene del trabajo con una golosina para mí y tengo que adivinar en qué bolsillo la lleva. Siempre acierto. No sé por qué lo sé. Simplemente lo sé. Pero nunca se lo diré a Gunner.

El caso es que Gunner y yo empezamos a pelear. Gunner dijo que había hecho trampa y yo dije que no. Y entonces Gunner dijo, con mucha razón: "Ese juego era a apostar y se lo voy a contar a tu mamá". No me gustó oír eso, así que hicimos un trato. Le devolví dos canicas a Gunner y me quedé con una. Pero me quedé con la mejor. Una ágata enorme y verde con un remolino de color oro y blanco. Por una parte estaba contenta de haberle jugado una mala pasada a Gunner, pero me daba rabia tener que devolverle las canicas. Fui a casa y saqué la caja de tabacos donde guardo mis tesoros más especiales. De

repente, sin saber por qué, el bombillo de mi dormitorio estalló.

Me asusté tanto que se me cayó la canica. Rodó bajo la cama y desapareció. La busqué por todas partes pero ha desaparecido.

CAPÍTULO DIEZ

—¡Casey!

Al oír su nombre, Casey levantó la mirada. Se volteó y vio a su papá en la puerta.

—¿Qué haces? —preguntó.

—Estaba leyendo —dijo Casey.

—Debe ser un buen libro. Te llamé media docena de veces por lo menos. La cena estará lista enseguida. Ven a lavarte las manos —dijo y entró de nuevo en la casa.

Casey se desperezó. Se sentía entumecida después de tanto tiempo sentada. Mientras leía, el sol había comenzado a ocultarse y en el jardín se proyectaban grandes sombras. Dejó el diario en la mecedora y palpó en el bolsillo la canica que había encontrado. La llevaba con ella desde que la encontró el primer día. Le gustaba su peso y a veces la rodaba entre los dedos sin darse cuenta, como si fuera un amuleto de la buena suerte.

Sacó la canica y la examinó con atención. El vidrio verde y blanco estaba entrelazado, como una imagen de la tierra vista desde el espacio. Salpicados aquí y allí había pequeños puntitos dorados.

—Es la misma canica —susurró Casey. Pero qué raro que la encontrara ella ahora, después de haber desaparecido hacía más de setenta años.

—¡Casey! —dijo su papá desde dentro de la casa.

—¡Ya voy! —gritó Casey. Guardó la canica en el bolsillo, se paró y entró.

En la mesa de la cocina había una enorme ensalada y un plato con jamón y queso. Mientras Casey se lavaba las manos en el fregadero, su madre entró por la puerta de la cocina. Llevaba un jarrón de cristal lleno de margaritas que había recogido en el jardín.

—Encontré el jarrón en el ático. ¿No es precioso? —comentó. Lo llenó de agua en el

fregadero y después lo dejó sobre la mesa—. Anima mucho este lugar.

Casey estuvo de acuerdo. Las flores le daban a la cocina un aspecto alegre.

—Ya estamos casi listos —dijo el Sr. Slater mientras cortaba los tomates para la ensalada—. Casey ¿puedes poner la mesa?

Casey tomó tenedores, cuchillos y platos y los puso en la mesa. Dobló las servilletas y puso una bajo cada tenedor. Después, inspirada por las flores, sacó las velas que habían usado la primera noche y también las puso sobre la mesa.

Encendió un fósforo y al inclinarse para encender la primera vela, escuchó un fuerte crujido. De repente, el jarrón estalló en mil pedazos. Casey saltó hacia atrás, dejando caer el fósforo, que se apagó.

Sus padres soltaron un grito y se dieron vuelta.

Casey estaba paralizada por la sorpresa. La mesa estaba cubierta de vidrios y agua. Había margaritas por todas partes, como si hubiera estallado una bomba.

—¡Te cortaste! —gritó su madre.

Casey miró su mano y vio que sangraba.

—No te muevas. —Su papá agarró un trapo de la cocina y lo apretó contra la herida para detener la sangre—. ¡Casey tienes que tener más cuidado!

—Yo... yo no hice nada —tartamudeó—. El jarrón... explotó.

—Déjame ver. —Su papá quitó el trapo de cocina manchado de sangre y examinó la herida—. La herida es bastante profunda, pero no creo que necesites puntos. Mantén la presión unos minutos más.

De nuevo le envolvió la mano con el trapo.

—Seguro había una grieta en el vidrio —dijo la Sra. Slater—. Tendría que haberlo revisado bien antes de llenarlo de agua. ¿Te duele mucho?

Casey negó con la cabeza, preguntándose cómo una grieta podía hacer que un jarrón explotara.

Cuando terminaron de limpiar la mesa y vendar la mano de Casey, ya había

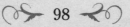

oscurecido del todo. Aunque antes tenía hambre, Casey sólo picoteó su comida. Su mente era un hervidero de ideas.

—¿Saben algo de la gente que vivió aquí antes? —preguntó por fin a sus padres.

—¿De la gente? ¿Te refieres a los antiguos dueños? —preguntó su papá, y Casey asintió—. No mucho. Oímos que una pareja de ancianos vivía aquí. Después estuvo vacía bastante tiempo. Se la compramos al banco. ¿Por qué preguntas?

—Me preguntaba por qué dejarían tantas cosas —respondió Casey—. ¿Por qué no se las llevó alguien?

—Es difícil saberlo —dijo su papá—. Quizás nadie las quería. Es posible que murieran sin parientes ni herederos y el banco no quiso molestarse en revisar lo que había.

—Ah.

Casey se preguntó si la residente había sido Millie y si había muerto sin familiares cercanos, sin nadie a quien dar sus cosas.

"Es triste —pensó Casey—, que Millie

nunca llegara a saber que su canica perdida había sido encontrada".

Esa noche, Casey soñó que buscaba algo en la casa. Iba por todas las habitaciones, primero caminando y después corriendo. No estaba segura de qué era lo que buscaba. Sólo sabía que era muy importante que lo encontrara. Cuando llegó a la puerta del ático, su corazón latía a toda velocidad. Lentamente giró el pomo de la puerta...

Casey se despertó sobresaltada. Entonces fue cuando lo oyó.

Tap-tap-tap.

Tap-tap-tap-tap.

Casey se subió la sábana hasta la barbilla. Sabía, por la oscuridad de la ventana, que debía ser muy tarde. Incluso los grillos habían dejado de cantar. Nadie podía estar llamando a esa hora.

Tap-tap-tap.

Se acurrucó en la cama, casi sin respirar. ¿Por qué no se despertaban sus padres?

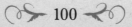

"¡Despiértense!", pensó con furia, esperando poder entrar en sus sueños.

Finalmente, Casey salió de abajo de la sábana. Corrió por el pasillo a toda velocidad.

—¡Papá! —dijo jalándolo del brazo—, papá, despierta.

—¿Qué ocurre? —preguntó él.

—Oí que alguien llamaba a la puerta —susurró Casey.

—¿Quién puede ser a estas horas? —dijo su papá y se incorporó.

—¿Qué ocurre? —preguntó su mamá, que también se despertó.

—Casey cree que alguien llamó a la puerta.

—No oigo nada —dijo la Sra. Slater.

—Lo escuché. Por favor, vayan a mirar —suplicó Casey.

—Está bien, Casey, cálmate.

Su papá saltó de la cama y salió de la habitación. Casey esperó en las escaleras mientras él inspeccionaba la puerta principal, la de atrás y todas las ventanas.

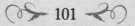

—No hay nadie y está todo cerrado —dijo cuando volvió.

—Oí algo —insistió Casey.

—Casey, te prometo que todo está bien —dijo él—. ¿Por qué no vuelves a la cama? Es muy tarde.

—Pero...

—Casey, por favor, de verdad. Ya hablaremos por la mañana.

Casey volvió a su habitación. Se acostó y se tapó la cabeza con la sábana. Estaba temblando.

Su papá no tenía razón. No todo estaba bien. Podían cerrar con llave todas las puertas y poner los cerrojos de las ventanas, pero no serviría de nada. Porque estaba segura de que el sonido provenía de adentro de la casa.

CAPÍTULO ONCE

Al día siguiente, Casey se despertó cansada y de mal humor. Con la luz del día, sus temores de la noche anterior parecían un sueño.

La herida en la mano le dolía y la revisó en el baño. Estaba hinchada y cubierta de sangre, pero no parecía que se hubiera infectado. La limpió con agua y cambió la venda, luego bajó a la cocina. Mientras se comía los cereales, su mamá entró en la cocina llevando un vaso lleno de brochas de pintor.

—Hoy pintaremos el comedor —dijo a Casey alegremente—. ¿Quieres ayudarme? ¡Será divertido!

Casey miró la camiseta de su mamá salpicada de pintura. Tenía el cuello empapado de sudor.

"No hay duda de que el divertermómetro

de mamá se volvió completamente loco", pensó.

—No, gracias —dijo.

—¿Cómo está tu mano? —preguntó su mamá.

—Viviré —dijo Casey.

—Ponte algo de pomada para que no se infecte. —Su mamá frunció el ceño y añadió—: ¿Por qué no sales hoy? Seguro que te sentará bien.

Después, recogió sus brochas y salió.

Casey terminó el desayuno y lavó el tazón en el fregadero. Era temprano, pero ya sentía el sudor en la espalda. Al salir al porche, se le ocurrió bajar a la gasolinera para llamar a Jillian, pero la idea de andar en bicicleta con ese calor le parecía insoportable.

"Además, Jillian seguro que está ocupada —se dijo, y pensó en Manhattan con añoranza, con sus museos amplios y sus cines con aire acondicionado—. La muy afortunada Jillian".

Casey vio el diario de Millie donde lo había dejado la noche anterior, en la mecedora del porche. Se sentó y lo agarró. Balanceándose lentamente, abrió una página al azar.

10 de junio
Querido amigo:
Anoche tuve otra pesadilla. Soñé que había un incendio. Había tanto humo que no podía respirar. Quería escapar pero me quedé ahí parada gritando: "Despierta, despierta, despierta".

"Es el mismo sueño que tuve anoche", pensó Casey. Pasó la página y siguió leyendo:

11 de junio
Querido amigo:
Otra pesadilla con el incendio. Esta vez me di cuenta de que era nuestra casa la que estaba ardiendo. Las llamas eran tan altas como las copas de los árboles. Hacía tanto calor que parecía un horno. Vi la escalera desplomarse, pero no podía encontrar a

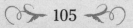

mamá o a papá. Los busqué por todas partes pero no pude encontrarlos.

Esas pesadillas siempre me aterrorizan, pero no tanto como lo que ocurrió anoche. Estaba encendiendo las velas para la cena cuando empezaron a temblar. Se estremecían en sus candelabros como si estuvieran vivas. Solté los fósforos y llamé a papá, pero cuando llegó, ya habían parado.

A pesar del calor, Casey sintió que un escalofrío le recorría la espalda. Pasó las páginas rápidamente, leyendo por encima hasta que llegó a esta entrada.

Querido amigo:
Hoy pasó algo muy extraño. No lo acabo de entender. Estaba en la cocina, bordando un pañuelo para cuando me case. Estaba de mal humor porque odio bordar, pero mamá dice que tengo que hacerlo.

Mamá estaba afuera colgando la ropa. De repente, me gritó: "Millie, déjalo ya".

"¿Que deje qué?", pregunté.

"¡Deja de cambiar emisoras en la radio!", gritó.

"No estoy ni cerca de la radio", respondí, pero me acerqué a la sala para ver a qué se refería.

La radio estaba encendida y con el volumen tan alto que tuve que taparme los oídos. Pero eso no era todo. Cambiaba de emisora ella sola, como si una mano invisible estuviera tocando el dial.

Salí corriendo a buscar a mamá, pero cuando ella llegó la radio se había apagado. Sé que mamá no me cree. Piensa que es solo mi imaginación...

Casey cerró el libro de golpe y lo dejó caer al piso del porche. No quería leer más. Le temblaban las manos y sentía algo raro en el estómago. Era como si hubiera encontrado una de las historias de fantasmas de Jaycee Woodard, sólo que esta vez la protagonista era ella.

Casey recorrió el jardín con la mirada.

De repente sintió que necesitaba alejarse de la casa. Sentía que se ahogaba.

—¡Voy a dar un paseo! —dijo a sus padres.

—¡Diviértete! —gritó su madre por la ventana.

Casey cruzó el jardín rápidamente y echó a andar por el camino. El sol abrasaba su cabeza y el zumbido de algún insecto llenaba el aire con un sonido monótono.

Se sintió aliviada cuando llegó a la señal de SIN SALIDA y a la sombra de los árboles. Cuanto más se alejaba de la casa, más tranquila se sentía. Algo se relajó en su pecho, como un nudo que se deshace.

Mientras caminaba, Casey empezó a fijarse en lo que había a su alrededor. Vio entre el pasto algo que parecía una pelota de golf, pero resultó ser un hongo que se rompió en pedazos cuando lo tocó. Había lindas flores azules que crecían junto a la carretera. Recogió una y la puso detrás de su oreja. Se sintió mejor.

Cuando llegó a un buzón con el

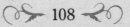

nombre GREER, caminó más lentamente, preguntándose por qué le sonaba el nombre. Entonces recordó que ese era el nombre del niño que les llevó el guiso de atún, Erik Greer.

Casey sintió un pequeño revoloteo en el estómago. Miró entre los árboles y vislumbró una casa verde con un auto beige estacionado al frente.

Al otro lado del camino, frente a la casa de Erik, había un sendero más estrecho que se adentraba entre los árboles. Casey se dio cuenta de que no era el camino de una casa porque no había ningún buzón y no se veía ninguna casa cerca. Decidió tomar ese sendero.

Mientras caminaba, recordó de nuevo el diario de Millie. Casey no podía negar que le habían pasado cosas raras desde que llegó a la casa de Camino Enebro. Sus papás decían que era su imaginación. ¿Pero era una coincidencia que Millie también hubiera "imaginado" las mismas cosas décadas antes?

Al oír el sonido del agua, alzó la vista. Había llegado a un ancho arroyo. Perdida en sus pensamientos, Casey se había salido del sendero sin darse cuenta. Se volteó para buscar el mismo pero no lo encontró. Veía sólo árboles.

Casey giró sobre sí misma, tratando de averiguar por dónde había caminado.

"¿Cómo puedo ser tan estúpida? —pensó atemorizada—. ¡No me fijé por dónde iba y ahora estoy perdida! Mamá y papá ni siquiera saldrán a buscarme hasta que sea de noche. ¡Y estaré perdida en el bosque en plena oscuridad!"

Una ramita crujió. Casey sintió un vuelco en el estómago. Sabía que en los bosques había animales salvajes. ¿Cómo no se le había ocurrido antes? Podría ser un puma... ¡O un oso! ¡Un oso la estaba persiguiendo!

Las hojas crujieron. Casey buscó a su alrededor algún sitio donde esconderse, pero era demasiado tarde. Cuando vio una sombra que se acercaba entre los árboles, intentó recordar qué se debía hacer al

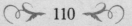

encontrarse con un oso (¿correr, detenerse, dejarse caer, rodar?).

Casey se cubrió la cara con las manos y gritó. Escuchó un crujido de hojas y luego una maldición. La voz le resultó familiar...

—¿Erik? —dijo Casey asomando el rostro entre las manos.

Siguió el sonido de la vegetación y lo encontró en el suelo, enganchado en un arbusto. La miró enfadado.

—¿Por qué gritas siempre que me ves? ¿Es que doy tanto miedo?

—Pensé que eras un oso —admitió Casey. Miró a su alrededor para comprobar que ningún oso hubiera seguido a Erik—. Me dan miedo los osos.

—Bueno, no hay de qué preocuparse. Si hubiera osos cerca, seguro que los habrías matado de un susto.

Casey no respondió:

—Bueno, ¿me ayudas o no? —añadió Erik.

Casey le dio la mano y lo sacó del arbusto.

Tenía hojas en la camisa y los brazos cubiertos de pequeños arañazos rojos.

—¿Qué haces aquí? —preguntó Casey.

—Siempre vengo aquí cuando hace calor. El arroyo es el único sitio para refrescarse —respondió quitándose las hojas de la camisa.

—Te queda una en el pelo —dijo Casey sacándosela.

—Gracias. ¿Y tú? ¿Qué haces aquí? —preguntó.

—¡Me perdí! —respondió Casey—. ¡Menos mal que apareciste! ¿Sabes cómo volver al camino?

—Está a diez pasos, no puedes perderte —dijo riendo y señalando hacia un lado.

—Gracias, pásalo bien en el arroyo —dijo Casey, pensando que él se reía de ella otra vez. Enderezó sus hombros con dignidad y echó a andar hacia el sendero.

—Espera —dijo Erik caminando tras ella—. Aún no puedes irte.

—¿Por qué no?

—Pues... ¡te perderás la regata!

—¿Qué?

—La regata. Ya sabes, una carrera de botes —respondió Erik.

Casey miró el arroyo. Allí no podía haber ninguna regata.

Erik estaba agachado, buscando algo en el suelo.

—Busca un palo —dijo.

Ella no tenía ni idea de qué quería exactamente, pero recogió un palo largo.

—¿Este vale?

—Ah —dijo Erik asintiendo—, una goleta clásica. Yo prefiero un esquife. —Agarró una ramita mucho más pequeña—. Juguemos una carrera. Ese tronco es la salida. Iremos hasta el recodo del río. ¿Preparada?

—Supongo —dijo Casey. Le parecía un poco tonto, pero no tenía nada mejor que hacer.

Pusieron sus palos sobre el tronco, que estaba medio sumergido.

—Preparados, listos... ¡ya!

Soltaron los palos en el agua. En un instante la corriente los empezó a arrastrar.

Erik corrió por la orilla, animando a su palo. Casey corrió detrás de él, riéndose y gritando también.

—¡Vamos, vamos! ¡A la derecha! ¡Cuidado con ese tronco! —gritó Erik.

—Vamos, vamos, vamos... ¡no, no! —dijo Casey cuando su palo se dirigió hacia un grupo de raíces.

El palo de Erik quedó atrapado en una piedra, y él arrojó piedrecitas para soltarlo.

—Ja, ja —gritó Casey—. ¡Estoy ganando!

—¡La carrera no ha terminado! —respondió Erik mientras su bote se acercaba al de Casey.

Al final, Erik ganó por muy poco, pero Casey la estaba pasando tan bien que no le importó.

—¿Así que esto es lo que hacen aquí en Stillness para divertirse? —preguntó.

—No todo el mundo —dijo Erik—. Supongo que te parecerá aburrido. ¿Qué haces para divertirte en... donde sea que vivas?

—Nueva York —respondió Casey—. Salgo con amigos. Sobre todo con mi mejor amiga, Jillian. Vamos de compras y escuchamos música, ese tipo de cosas. Teníamos montones de planes para este verano, antes de saber que vendría aquí.

No sabía por qué le estaba contando todo eso a Erik, pero se sentía bien contándoselo a alguien.

—¿Qué tipo de planes? —preguntó Erik.

—Ir al parque de atracciones y a la playa. —Casey decidió dejar fuera la parte de encontrar novios—. Jillian está haciendo todo eso sin mí. Así que al menos una de las dos se está divirtiendo este verano.

—La playa —dijo Erik con tono despectivo—. ¿Quién quiere una playa cuando puedes tener tu propia isla privada?

—¿Qué dices? —preguntó Casey.

—Sígueme.

Erik la condujo alrededor de una pequeña curva que bordeaba el arroyo. En la distancia había una roca grande cubierta de musgo

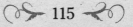

que sobresalía en el medio del arroyo, como una isla. Un trozo de la parte de arriba se había desprendido, formando una especie de banco. Parecía un lugar perfecto para sentarse.

—¿Ves? Mi isla privada —dijo Erik.

—¡Qué bien! Pero, ¿cómo se llega allí? —preguntó Casey. El arroyo era profundo y la corriente era rápida.

Erik se acercó a la orilla y puso un pie sobre una piedra seca que sobresalía del agua, y fue dando pequeños saltos de piedra en piedra hasta que llegó a la roca. Se volteó e invitó a Casey.

Casey puso un pie sobre la primera piedra. Extendió los brazos para guardar el equilibrio y dio otro paso hacia delante.

—Ahora, allí —dijo Erik, señalando un pedazo de roca seca que se asomaba desde el agua.

Casey apoyó el pie, pero la roca se movió con su peso y Casey soltó un grito.

—No pasa nada —dijo Erik—. Hazlo más rápido.

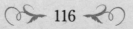

La siguiente roca era grande, pero estaba más lejos y parecía resbaladiza. Casey miró la corriente.

—No puedo hacerlo.

—Sí puedes —dijo Erik—. Dos pasos más y ya está.

Casey intentó dar el siguiente paso, pero sus piernas parecían estar congeladas. Se quedó allí hasta que confesó por fin que tenía miedo.

Erik se inclinó hacia ella y extendió la mano. Casi llegaba hasta donde estaba Casey.

—Vamos —dijo—. ¿Qué es lo peor que puede ocurrir?

—Mojarme —dijo ella.

—Exacto.

Casey respiró profundamente. Reunió valor y saltó a la siguiente piedra. Empezó a resbalarse, pero en un instante la mano de Erik la agarró y la haló hasta la isla.

—No está mal para una chica de ciudad —dijo él y ella respondió con una mueca.

Se sentaron en el banco cubierto de

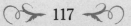

musgo, apoyando la espalda contra la piedra fresca. El sol se filtraba entre el follaje de los árboles y formaba motas sobre sus piernas.

Escucharon el sonido del agua durante un rato. Casey estaba sorprendida de lo agradable que resultaba. Normalmente los chicos la ponían nerviosa.

Finalmente, Erik la miró.

—¿Qué le pasó a tu mano?

—¿Qué sabes sobre nuestra casa? —dijo ella en lugar de responder a la pregunta.

—¿Qué quieres decir?

—Hay algo raro, ¿no crees?

Erik agarró una ramita y empezó a quitarle la corteza. Parecía estar pensando qué decir.

—Hay quienes dicen que la casa está embrujada —dijo finalmente.

Casey sintió un escalofrío. Ella tenía exactamente la misma idea, pero daba miedo oírlo de alguien más.

—¿Qué has oído? —preguntó ella, aunque

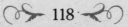

no estaba segura de querer oír la respuesta.

—Historias de fantasmas. Ruidos raros. Voces que gritan pidiendo ayuda. Oí que una vez entraron unos niños, no sé si querían robar algo o era solo una apuesta, el caso es que se asustaron de verdad. No duraron dentro más de veinte minutos.

—¿Por qué no querías contármelo? —dijo Casey con voz temblorosa.

—Supongo que no quería asustarte. —Erik la miró de reojo—. Eres un poco miedosa.

—¡No es cierto! —exclamó Casey—. Bueno, un poco.

—De todas formas, no creo todas esas historias —dijo Erik—. Mi abuela siempre decía que eran tonterías. Y se enojaba. Si mis amigos o yo empezábamos a contar historias sobre esa casa, nos decía que nos calláramos. Y ella tiene que saberlo, ha vivido aquí toda la vida.

Casey recordó que Erik había dado un

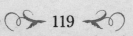

paso atrás cuando su mamá lo invitó a entrar.

—Pues si no crees todas esas historias, ¿por qué no quisiste entrar? —bromeó.

—¿Y tú? ¿Crees que esté embrujada? —dijo Erik.

Casey dudó. Erik se había reído de ella con anterioridad. ¿Y si volvía a hacerlo?

—Tengo una sensación muy extraña —admitió—. Como si hubiera alguien, una presencia. El otro día un jarrón se rompió en pedazos. Así fue como me corté la mano. Y anoche oí que alguien daba golpecitos. Muy raro, ¿verdad?

Miró de reojo a Erik y se sintió aliviada al ver que no sonreía.

—¿Qué dicen tus padres? —preguntó.

—No dicen nada. La mitad del tiempo ni siquiera se dan cuenta. Creen que me lo imagino.

—Eso es duro. —Erik arrojó la ramita al agua y la observó flotar corriente abajo. —Si hay un fantasma, ¿qué clase de fantasma crees que es? —preguntó.

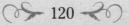

—¡Qué pregunta! Pues uno que da miedo, claro —respondió Casey.

—Quiero decir, ¿es un alma perdida o un espíritu errante... o un demonio del infierno? Es una broma —añadió rápidamente al ver palidecer a Casey—. Seguro que no es un demonio del infierno.

—¡Espero que no!

—Hay todo tipo de fantasmas. ¿Sabes que algunas personas piensan que los espíritus pueden ser en realidad una manifestación de actividad psíquica? —Erik se volvió hacia Casey con un interés repentino—. ¿Crees que podrías tener poderes mentales?

—No, no sé —tartamudeó Casey, sorprendida por el giro de la conversación.

—¿Cuántos dedos estoy mostrando? —dijo Erik escondiendo una mano detrás de la espalda.

—Tres —adivinó Casey.

—No. Uno. ¿Cuál es mi color favorito?

—¿Azul?

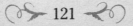

—Anaranjado. ¿Cuál es el nombre de soltera de mi mamá?

—Eeh... ¿Smith?

—Definitivamente no tienes poderes mentales.

—Nunca dije que los tuviera —afirmó Casey mientras pensaba que Erik había resultado ser un chico realmente extraño. Extraño, pero interesante—. Y bueno, ¿por qué sabes todas estas cosas sobre fantasmas y personas con poderes mentales?

—Por la televisión. —Erik se encogió de hombros como si fuera obvio—. ¿No miras televisión?

—No ese tipo de programas —dijo Casey—. Me dan miedo.

—La televisión. Los animales salvajes. Cruzar un arroyo. Los chicos que se llaman Erik —dijo él—. ¿Hay algo que no te dé miedo?

—No —dijo Casey—. Bueno, quizás no me dan miedo los chicos que se llaman Erik.

Erik sonrió. Después se recostó en la roca con la mano detrás de la cabeza.

—Es una pena que no sepas de qué tipo de fantasma se trata —dijo—. Al menos sabrías a qué te enfrentas.

Estuvieron sentados un rato. Cuando el sol estuvo alto en el cielo, Erik se puso de pie.

—Será mejor que me vaya. Le dije a mi mamá que iría a almorzar.

Casey se paró también con desgano. No tenía ganas de volver a su casa.

—Ahora ve tú delante —dijo Erik antes de empezar a cruzar.

Casey dio un paso sobre las rocas. Estaba a medio camino cuando Erik le dio un empujón. Perdió el equilibrio y cayó al agua, que le daba por las rodillas.

—¿Por qué hiciste eso? —chilló Casey.

—¿No está tan mal, verdad? —dijo Erik.

El agua fría corría por las piernas de Casey. Cuando se recuperó del susto, se dio cuenta de que era una sensación agradable.

—Ahora tienes una cosa menos a la que temer —añadió Erik.

CAPÍTULO DOCE

Casey volvió a casa con sus zapatillas empapadas. Al entrar sintió el olor a pintura.

—¡Hola! ¿Hay alguien en casa?

Casey asomó la cabeza en la sala. Estaba pintada de blanco, excepto una pared que estaba pintada de rojo ladrillo. La pintura todavía estaba húmeda y había brochas y rodillos por el piso, pero la sala estaba vacía. De repente oyó que alguien daba martillazos en otra parte de la casa.

Subió las escaleras, entró en su cuarto y se quitó los zapatos y las medias mojadas, dejándolos en el alfeizar de la ventana para que se secaran. Después se cambió la camiseta.

Mientras se ponía una camiseta limpia, oyó un sonido diferente. Era más suave que el martilleo, pero igual de constante.

Tap-tap-tap-tap.

Casey se quedó quieta escuchando. Hubo una pausa larga y el ruido comenzó de nuevo. Luego oyó que alguien lloraba.

—¿Mamá? ¿Papá? —dijo saliendo al pasillo.

No hubo respuesta. El martilleo se había detenido. Casey escuchó de nuevo.

"Definitivamente suena como un llanto", pensó.

Siguió el sonido hasta el final del pasillo. Se detuvo ante la puerta del ático. El llanto parecía provenir de arriba.

Casey había evitado ir al ático desde el día que estuvo allí con su mamá.

"Pero, ¿y si mamá y papá están ahí? —pensó—. Quizás subieron y se les cayó algo encima. ¡Podrían estar heridos!"

Respiró profundamente y abrió la puerta del ático. En la escalera, el sonido del llanto se oía con claridad. Y entonces oyó que alguien gritaba: "¡Ayúdenme!".

—¡Ya voy! —gritó Casey, golpeando con

fuerza los peldaños al subir. Pensó que uno de su padres estaba herido.

Volvió a oír los golpecitos, que se intensificaron hasta convertirse en golpes fuertes y estrepitosos. Alguien golpeaba con fuerza algo, como si intentara salir.

—¡Ya voy! —dijo de nuevo.

Llegó al ático con tanto ímpetu que casi se tropezó. Casey miró a su alrededor desconcertada. El ático estaba desierto.

Pero aún podía escuchar los golpes desesperados. Provenían de algún rincón del ático.

Casey echó a andar hacia el sonido, pero a mitad de camino se quedó paralizada y notó que se le helaba la sangre. Los golpes provenían del interior del baúl.

Casey dio la vuelta y bajó la escalera a la carrera mientras llamaba a gritos a sus padres.

Oyó pisadas y de repente sus padres aparecieron en el pasillo con cara de preocupación. Casey se arrojó a los brazos de su mamá.

—¡Hay algo allá arriba! —dijo— ¡Hay algo en el ático!

—Casey, ¿qué ocurre? —exclamó su mamá.

—¡Había alguien dando golpes y llorando! —dijo con los ojos llenos de lágrimas—. ¡Pedía ayuda!

—¿Una persona?

Su papá la apartó y se dirigió a las escaleras.

—¡No subas! —chilló Casey, pero su papá ya subía los peldaños de dos en dos.

—Joe, ten cuidado —dijo su mamá.

—¡Es el fantasma, mamá! ¡Es el fantasma! ¡Sé que es él!

Casey se aferró a su mamá como si fuera un bebé. Un momento después, el papá de Casey bajó las escaleras.

—Ahí arriba no hay nada —dijo, y miró a la mamá de Casey.

—Pero yo oí algo —dijo Casey.

—Pudo haber sido un animal —dijo su papá—. La ventana estaba abierta. Un mapache o cualquier otro animal pudo haber entrado. Fuera lo que fuera, ya se marchó.

—¡No fue un animal! Oí una voz. ¡Una voz humana que pedía ayuda y provenía del baúl!

—El baúl estaba abierto y no había nada dentro —dijo su papá.

Al oír estas palabras, Casey sintió una descarga eléctrica.

—Estaba cerrado antes. Sé que lo estaba.

—El otro día estaba cerrado —dijo la mamá de Casey—. No pude encontrar la llave.

—Bueno, parece que alguien la encontró —dijo el papá de Casey.

—No fui yo —dijo Casey, dando un paso atrás.

"Él piensa que es una jugarreta —se dijo de repente—. Piensa que me lo estoy inventando todo".

—No fui yo —repitió—. ¿Es que no lo entienden? ¡La casa está embrujada! ¡Tenemos que irnos de aquí!

—Cálmate, Casey —dijo su papá.

—¡No quiero calmarme! —dijo Casey y su voz adquirió un tono histérico y las lágrimas empezaron a correr por sus mejillas de nuevo—. ¿Por qué no me creen? ¡Hay algo terrible en esta casa!

—¡Casey, ya basta! —gritó su papá.

Casey se sorprendió tanto que dejó de llorar. Su papá nunca le había gritado así.

—Entiendo que no te gusta estar aquí —dijo él, apenas controlando su furia—, pero esta conducta no puede continuar. Tu mamá y yo nos hemos ilusionado mucho con esta casa. Es nuestro sueño y tendrás que acostumbrarte. Ya basta de refunfuñar y no más payasadas nocturnas ni tonterías sobre fantasmas... estoy harto. ¿Me oyes, Casey? ¡Basta ya!

Casey lo miró estupefacta. Después miró a su mamá, que no decía nada pero que parecía estar de acuerdo con su papá.

Casey dio la vuelta y corrió a su habitación.

Se lanzó sobre la cama, llorando

desconsoladamente. La casa estaba embrujada, estaba segura. Nunca había sentido tanto miedo. Tenía la certeza de que estaban en peligro, pero por primera vez en su vida, no podía contar con que sus padres la protegieran. Y si no le creían, no podía hacer nada.

—Estoy atrapada —dijo llorando sobre su almohada—. Atrapada.

Durante los días siguientes, las cosas empeoraron. Por el día, Casey evitaba a sus padres, se iba de paseo o se quedaba leyendo en su habitación. La cena transcurría en silencio, con algún que otro comentario extremadamente cortés, como: ¿Podrías pasarme la sal? Gracias. ¿Quieres más arvejas? No, gracias. ¿Qué tal está la carne? La tensión que se había ido cocinando durante todo el verano había llegado al punto de ebullición.

La actividad del fantasma, por su parte, incrementó, como si se tratara de una reacción ante la situación. Los platos vibraban, las ventanas se cerraban de golpe, los libros se caían de los estantes. En una ocasión, Casey tropezó con una caja de herramientas que de repente se movió, y se hizo daño en un tobillo. Pero nunca mencionó ni este ni otros incidentes a sus padres. ¿Para qué hacerlo? Pero en el pecho sentía un nudo frío de temor, como si un cubo de hielo se le hubiera quedado atravesado.

Casey volvió dos veces al río, esperando encontrar a Erik, pero no tuvo suerte. Una vez echó a andar por el sendero de la casa de Erik, por si estaba allí, pero a mitad de camino vio un rostro que miraba por la ventana. Casey saludó tímidamente con la mano, pero la figura de la ventana la miró sin inmutarse y ella sintió miedo y salió corriendo.

"De todas formas, ¿qué podría hacer Erik? —pensaba enfadada, tratando de ignorar su decepción—. Es tan joven como yo".

Aunque suene extraño, terminó por pasar casi todo su tiempo con Millie. Había

empezado a leer el diario de nuevo y encontró allí a una amiga cuyas experiencias eran un reflejo de las suyas.

29 de junio
Querido amigo:
Hoy, mamá y papá estaban afuera y yo leía en mi cuarto cuando oí que la puerta principal se cerró de golpe. Pensé que habían vuelto, así que bajé a saludarlos, pero no había nadie. Corrí de nuevo a mi habitación y me escondí hasta que volvieron a casa.

5 de julio
Querido amigo:
Hoy era el día de hacer conservas. Mamá tenía dos arrobas de tomates y quería conservarlos todos. Por supuesto, me dio la tarea de hervir los frascos. Hacía muchísimo calor en la cocina y cuanto más tiempo llevaba allí, peor me sentía. Y no solo por el calor. Sentía que algo horrible iba a ocurrir.

Y entonces ocurrió. Cuando mamá estaba de espaldas, tres frascos estallaron uno detrás

de otro: *¡POP, POP, POP!*. *Sonaron como disparos y había jugo y pedazos de vidrio por todas partes. Mamá pensó que yo los había roto de alguna manera, pero ¡no fui yo! ¿Por qué siguen ocurriendo estas cosas? He oído que hay demonios y espíritus que eligen a una persona para atormentarla. ¿Es que me persigue un demonio?*

Mientras leía, Casey buscó en algunas páginas quién o qué podría ser ese fantasma, pero Millie tampoco parecía saberlo. A medida que pasaba las páginas del diario, Millie escribía menos sobre sus experiencias y más sobre sus sueños.

2 de agosto
Querido amigo:
Todas las noches vivo un incendio. Humo y cenizas llenan mis sueños, tanto que me cuesta cerrar los ojos. Ver la llama de una vela me hace temblar...

8 de agosto

Querido amigo:

Hoy estaba en mi cuarto y al mirar el espejo sobre la cómoda vi mi cara... pero no era mi cara. Vi mis mejillas redondas y mis ojos oscuros, pero mi rostro estaba manchado de carbón y cenizas. Mi cabello era una nube negra enmarañada y el humo me rodeaba. ¡Me vi atrapada en el fuego!

Llamé a mamá, pero cuando se lo conté, me dijo que era mi imaginación. Dijo que había estado leyendo demasiados libros estúpidos. Me quitó todas mis novelas de aventuras y las guardó en algún sitio. Pero creo que esa imagen que vi no fue fruto de mis lecturas, porque nunca leí un relato así.

12 de agosto
Amigo:

Mamá y papá están preocupados. Creen que estoy demasiado delgada. "Debes comer más", me dicen cuando me ven jugando con la comida. Pero no tengo apetito. ¿Cómo puedo comer cuando tengo la sensación de que va a ocurrir algo terrible?

14 de agosto

A:

Ahora tengo un nuevo sueño. No hay humo ni llamas, pero es casi más terrible que mi sueño sobre incendios. En este sueño, todo está oscuro y estoy sola. Creo que mamá y papá deben estar buscándome. Los llamo una y otra vez, pero nunca me oyen y nunca vienen...

Casey también soñaba, pero sus sueños no eran sobre un incendio. Una y otra vez soñaba que jugaba al escondite en la casa. A veces ella era quien estaba escondida y otras veces era quien buscaba. En esos sueños tenía una sensación de urgencia, y siempre, antes de despertarse, oía una voz que canturreaba: "Lista o no, allá voy...".

CAPÍTULO TRECE

Una semana después del incidente con el baúl, Casey llegó al final del diario de Millie. Estaba fechado el 22 de agosto y, como siempre, comenzaba con *Querido amigo*.

¡Hoy celebraremos una fiesta! Mamá y papá la han organizado y ni siquiera me dicen por qué. No es mi cumpleaños ni nada por el estilo. Papá dijo que no había necesidad de un motivo para celebrar una fiesta. Han organizado todo tipo de juegos. "Si esto no consigue animarte, no sé qué lo hará", me dijo papá.

Invitamos a niños de todo Stillness, dieciséis en total. Edie Finney viene de Camino Norte. También Grace, Evanston, Pearl Miller, las chicas Avery y la pequeña Jackie, Nathan y Rose Hopkins, George Archer, Gretchen Forysth y, por supuesto, los

Henriksson: Johan, Peter, los gemelos Alf y Charles y la pequeña Anna. Incluso invité a Gunner Anderson, aunque en realidad no lo merece.

Mamá lleva trabajando en la torta toda la mañana. Tiene una cubierta amarilla y rosas de azúcar. Me pondré mi mejor vestido, y tan pronto mamá haya terminado la torta, me peinará con trenzas y lazos.

Lo único malo es que había nubes cuando me desperté esta mañana. Espero que desaparezcan. No quiero que ni una gota estropee mi fiesta perfecta.

Estoy tan entusiasmada. ¡Creo que voy a estallar esperando que empiece!

Con cariño,

Millie

Casey pasó la página, pero estaba en blanco. Pasó todas las páginas hasta el final, luego volvió y repasó cada página con cuidado. No había ni una sola palabra más.

Casey cerró el diario. No podía imaginarse por qué Millie dejaría de escribir.

"Quizás hizo un nuevo amigo en la fiesta —dijo Casey—. Ya tenía con quién hablar y por eso ya no necesitó más el diario".

Pero eso no tenía mucho sentido. Después de todo, Millie escribía de todo en su diario. ¿No habría escrito también que había conocido a un amigo?

"En realidad no importa —dijo Casey—. Todo ocurrió hace mucho tiempo".

Apartó el diario y bajó las escaleras. Sus papás habían terminado de pintar la sala y estaban trabajando en otra habitación, pasando los rodillos con pintura blanca por las paredes. Esquivó los trapos manchados de pintura y salió al porche. En la mecedora, se puso los auriculares y trató de escuchar al grupo Sin Futuro. Pero por primera vez, la música no la tranquilizó. No podía quitarse a Millie de la cabeza.

Finalmente se quitó los auriculares y agarró la bicicleta.

—Voy a pasear en bicicleta —dijo.

—¡Vuelve para comer! —respondió su mamá.

Casey pedaleó hasta la gasolinera y llamó a Jillian. Para su alivio, su amiga respondió.

—¡Casey! —dijo Jillian—. ¡Llamas en el mejor momento! Voy a ir con David a un concierto en Central Park. ¿Crees que debería ponerme mi minifalda con rayas de cebra o ese vestido anaranjado que encontré en la tienda de rebajas?

—No sé —dijo Casey—. Jillian, escucha, necesito hablar contigo. Estoy muy nerviosa.

—¿Qué ocurre? —preguntó Jillian.

—Es complicado —dijo Casey. Empezó a contarle cómo encontró el diario de Millie en el ático, sus inquietantes predicciones, sus sueños perturbadores y la manera repentina en la que acababa el diario.

—Iba a ir a una fiesta y estaba entusiasmada —explicó Casey—. No entiendo por qué dejó de escribir. Estoy preocupada, Jillian. Tengo la sensación de que ocurrió algo malo...

—Espera —interrumpió Jillian—, no

entiendo. Dices que encontraste este diario en el ático y que es muy viejo, ¿verdad?

—Lo escribió en 1939.

—Entonces... no lo entiendo. ¿Qué es lo que te preocupa tanto? Por lo que sabes, seguramente ya habrá muerto.

—Eso es lo que me temo —susurró Casey.

—Mira, Casey —dijo Jillian—, no sé cómo decirte esto, pero estás actuando de una manera muy rara. ¿Por qué estás tan preocupada por alguien que vivió hace tantísimo tiempo?

Casey se quedó en silencio, escogiendo las palabras. ¿Cómo podía explicarle que Millie era tan real para ella como Jillian misma? Claro que importaba lo que le ocurrió a Millie. Importaba mucho.

Por el teléfono oyó el sonido del timbre en el apartamento de Jillian.

—Ay —dijo Jillian—, es David y ni siquiera he terminado de vestirme. Tengo que irme. ¿Estarás bien?

—Claro —dijo Casey, intentando sonar despreocupada—. Estoy bien.

—Llámame más tarde, ¿lo prometes?

—Sí —dijo y colgó el teléfono.

Se sentía nerviosa y confundida. Jillian tenía razón. Si Millie no había muerto ya, al menos sería muy, muy anciana. Pero para Casey era difícil imaginársela así. Para ella, Millie siempre sería la niña del diario.

Jillian estaba demasiado ocupada para escuchar. Pero aún quedaba alguien que podría hacerlo.

Casey salió en su bicicleta por el camino que llevaba a la casa de Erik. Vio juguetes en el jardín y dos niñas que jugaban frente a la casa. Tenían el cabello corto y rizado, como Erik.

—Hola —dijo Casey al acercarse—. Estoy buscando a Erik. ¿Está por aquí?

Las dos niñas se quedaron boquiabiertas, como si ella hubiera bajado de una nave espacial. Entonces una de ellas dio un salto, salió corriendo y desapareció detrás de la

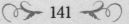

casa. La otra se quedó mirando a Casey con recelo, como si ella fuera a quitarle algo.

A los pocos segundos, Erik apareció por un costado de la casa. Casey sintió que el corazón se le sobresaltaba un poco.

—¡Hola! —dijo cuando vio a Casey—. ¿Qué ocurre?

—Pasaba por aquí y pensé que podías estar en casa —respondió Casey, señalando a la niña que la miraba con recelo—. Son tus...

Casey no acabó la frase porque no estaba segura de que las dos fueran niñas.

—Hermanas —añadió Erik rápidamente—. Esta es Bridget y esa es Bee, Beatriz. No te preocupes si no sabes diferenciarlas. Casi nadie puede. Son idénticas.

La niña que estaba más cerca le haló la mano y cuando él se agachó, le susurró algo en el oído. Erik miró a Casey y se echó a reír.

—¿Qué? —preguntó Casey.

—Dice que eres muy linda —respondió

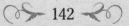

Erik—. Quiere saber si eres mi novia. ¿Quieres entrar?

—Claro —dijo Casey algo sonrojada.

—Ustedes también —dijo Erik a las gemelas—. No pueden estar solas acá afuera.

Erik las condujo a todas a la casa. En la sala había juguetes por todas partes y Casey escuchó la televisión encendida en otra habitación. Había desorden pero no era desagradable. A Casey le gustó más que su propia casa.

Erik llevó a las niñas al cuarto donde estaba encendida la televisión y luego volvió e invitó a Casey a conocer a su mamá.

Casey lo siguió hasta la cocina, donde una mujer estaba sentada a una mesa llena de papeles. Tenía el cabello rubio recogido en un moño y ojos grises pálidos como los de Erik.

—Mamá, esta es Casey Slater —dijo Erik—. Se acaban de mudar a la casa del final del camino.

—Encantada de conocerla —dijo Casey

cortésmente—. Gracias por el guiso de atún.

—Me alegro que les gustara —dijo la señora amablemente—. Cuando haces uno, es fácil hacer dos.

—Estaba delicioso —mintió Casey.

—Encantada de conocerte, Casey —dijo la mamá de Erik, y volvió a sus papeles.

Erik sacó dos latas de soda del refrigerador y los dos se dirigieron a la sala. El chico quitó algunos muñecos del sofá y se sentaron.

—Mamá está un poco distraída. Siempre está así cuando toca pagar las facturas —dijo Erik abriendo su lata—. En fin, ¿qué ocurre?

—No vine solo porque pasaba por aquí —dijo Casey—. Quería hablar contigo. Han ocurrido más cosas raras en mi casa.

Erik se puso serio y esperó a que Casey continuara.

Ella le contó lo que había sucedido la última semana: el llanto en el ático, las puertas dando golpes, las cosas cayendo

de su sitio y lo que leyó en el diario de Millie. Le llevó mucho tiempo explicarlo y a veces lo que decía le sonaba a locura. Pero Erik escuchó sin interrumpirla.

—Durante un tiempo pensé que quizás mis padres tenían razón y todo estaba en mi cabeza —dijo—. Pero ya no lo creo. Me están pasando cosas como las que le pasaron a Millie. Y cuando llegué al final del diario...

Casey se detuvo, incapaz de terminar la idea.

—Temes que lo que le ocurrió a Millie pueda ocurrirte a ti —dijo él.

Casey asintió, aliviada de que Erik no pensara que estaba loca.

—Pero no sabes si le pasó algo —añadió—. Podría haber perdido el diario o haberse mudado o quién sabe.

—Lo sé —admitió Casey—, pero tengo la sensación de que ocurrió algo malo.

De pronto, se oyó una voz aguda que gritó: "¡Charles!". Casey se asustó.

—Es mi abuela —dijo Erik—. Mejor voy a ver qué necesita. Ven si quieres.

Casey se paró y siguió a Erik hasta el cuarto de la televisión. Se sorprendió al ver a una anciana sentada en una butaca junto a la ventana. Casey no se había dado cuenta antes de que estaba allí. La mujer era de tez muy pálida y tenía las comisuras de los labios hacia abajo, lo que le daba un aire de tristeza. Casey la reconoció enseguida como el rostro que había visto en la ventana el otro día. Tenía el regazo tapado con una colcha. Las gemelas estaban cerca, mirando dibujos animados en la televisión.

—Confunde las cosas un poco, su memoria no es muy buena —dijo Erik, y se acercó a la mujer y le tocó suavemente el hombro. Ella levantó la vista, sorprendida—. Hola abuela, soy yo.

—¿Charles?

—No, soy Erik, tu nieto —dijo—. Hay alguien que quiero que conozcas. Esta es mi amiga Casey.

La abuela miró a Casey y la cara se le iluminó.

—¡Volviste! —exclamó.

—Lo siento —dijo Casey—. Debe estar equivocada. Nunca estuve aquí...

—¡Volviste! —insistió la anciana con voz infantil y cantarina. Miró a Casey con los ojos resplandecientes—. ¡Millie, te extrañé tanto!

CAPÍTULO CATORCE

—¿Por qué me llamó Millie? —dijo Casey asustada.

—No, abuela —dijo Erik—. Se llama Casey. Es mi amiga Casey.

La abuela no pareció oírlo. Extendió la mano y agarró a Casey por la muñeca.

—Me alegra tanto verte, Millie. Te busqué por todas partes. Todos te buscamos.

Casey sintió la necesidad de apartar la mano, pero no lo hizo. La abuela de Erik sabía algo sobre Millie, y esta podría ser la única oportunidad que tenía de saber qué había pasado.

—¿Usted sabe qué le ocurrió a Millie? —preguntó desesperada.

—No es culpa mía —dijo la anciana soltando su mano.

—¿Qué quiere decir? ¿Qué no es culpa suya? —dijo Casey.

La abuela miró a Erik y luego a Casey. En un segundo, sus ojos se llenaron de rabia.

—¿Quién eres? —preguntó secamente—. Charles, ¿quién es? ¿Qué hace en la casa?

Estaba casi gritando. Las gemelas dejaron de mirar la televisión y alzaron la vista.

—Me llamo Casey —respondió la chica—. La amiga de Erik, Casey. Necesito saber qué le ocurrió a Millie.

—¡Sal de mi casa!

—No insistas. —Erik tomó del brazo a Casey y la apartó—. No recuerda nada.

La abuela movía los labios sin emitir ningún sonido. Estaba temblando, pero Casey no pudo decir si era de miedo o de furia. Erik le sirvió un vaso de agua de una jarra que había en la mesita. Después, él y Casey salieron en silencio de la habitación.

—Lo siento —dijo Casey cuando salieron al pasillo—. No quería disgustarla.

—No te preocupes —dijo Erik—. Se confunde con bastante facilidad. Me llama Charles, el nombre de uno de sus hermanos.

A las gemelas también. A veces no sabe quién es mi mamá.

—Pero conoció a Millie —dijo Casey—. Reaccionó como si fueran amigas.

—Eso parece —dijo Erik.

Casey pensaba a toda velocidad. Erik había dicho algo que le resultaba familiar.

—¿Tu abuela tenía hermanos?

—Cuatro —respondió Erik—. ¿Por qué?

—¿Cómo se llamaban? —preguntó Casey, aunque tenía la sensación de que ya sabía la respuesta.

—Bueno, estaba Charles, y los otros eran Peter, Alfred y John, es decir, Johan.

—Y tu abuela se llama Anna. Anna Henriksson.

—¿Cómo lo sabes?

—Por el diario de Millie —respondió Casey—. Escribió sobre la familia Henriksson. Eran sus vecinos más cercanos.

Veía los nombres escritos por Millie tan claramente como si tuviera el diario delante de los ojos.

—Por un momento pensé que tenías poderes mentales de verdad —bromeó Erik.

—¿No ves lo que esto significa? —dijo Casey—. Tu abuela y sus hermanos conocieron a Millie, así que quizás sepan qué le ocurrió.

—Hay un pequeño problema —dijo Erik—. La abuela no recuerda nada. Y todos sus hermanos murieron.

—Tiene que haber alguien más —dijo Casey—. En esa fiesta había montones de niños. Tiene que quedar alguien vivo que recuerde algo.

La sala estaba casi a oscuras y Erik encendió una lámpara.

—¡Cielos! —gritó Casey, saltando del sillón—. No me di cuenta de lo tarde que es. Tengo que volver a casa o mi mamá se va a preocupar.

—Mañana revisaremos el diario y buscaremos pistas —dijo Erik mientras la acompañaba a la puerta. Afuera soplaba un viento fuerte que hacía inclinar las copas de los árboles—. ¿Llegarás bien a casa andando en la bicicleta?

—Estaré bien —dijo Casey—. Hasta mañana.

Al salir, se sorprendió de lo frío que estaba y se sintió helada. Estaba vestida nada más que con unos pantalones cortos y una camiseta. Luchó contra el viento todo el camino de vuelta y llegó a casa tiritando.

Entró por la puerta de atrás y su mamá, que estaba en la cocina, reaccionó inmediatamente.

—Empezaba a preocuparme —dijo—. ¿Dónde estuviste?

—Me encontré con Erik —dijo Casey—. Ya sabes, el chico que trajo el guiso de atún. ¿Por qué hace tanto frío?

—Parece que viene una tormenta —comentó su mamá—. Papá encendió la chimenea de la sala. ¿Por qué no vas allí y te calientas? La cena estará lista pronto.

Casey corrió a la sala. Su papá estaba de pie, mirando el fuego que crepitaba en la chimenea.

—Me costó muchísimo encenderlo —dijo a Casey—. El humo se metió en la sala aunque el tiro estaba abierto. Pero fuera cual fuera el problema, se arregló solo. Ven a calentarte, voy a ayudar a mamá con la cena.

Casey se acostó sobre la alfombra, justo frente a la chimenea, y no pudo dejar de preguntarse qué había querido decir la abuela de Erik con eso de que no había sido su culpa. Pero al poco rato se sintió muy cansada y el fuego de la chimenea la adormeció. Antes de darse cuenta, ya había cerrado los ojos.

Después de un tiempo, Casey no supo cuánto, la despertó un gran estrépito. Se incorporó de un salto y vio que la sala estaba hecha un caos. Había libros y vidrios rotos y tardó un momento en comprender lo que había pasado: un armario antiguo, donde sus papás habían guardado herramientas y libros sobre renovaciones, se había volcado, aterrizando a poca distancia de donde ella descansaba.

—Casey, ¿qué pasó? —dijo su papá al entrar corriendo en la sala.

Casey sabía lo que había ocurrido, pero también sabía que sus padres no le creerían.

—No sé. El armario se cayó.

—Es imposible que ese armario pueda caerse sin más —dijo su papá—. Debe de pesar más de cien libras —añadió y miró a Casey, que seguía sentada en la alfombra.

Casey se dio cuenta que él calculaba que ella no era tan fuerte para moverlo. Por primera vez, vio un atisbo de duda en sus ojos.

—Pudo haberte matado —dijo su mamá mientras la ayudaba a levantarse.

Una lata de pintura sin usar estaba aplastada bajo el armario, y un charco rojo empezó a extenderse por el suelo. Casey lo miró con horror.

"Pude haber sido yo", pensó. Ahora estaba segura de que necesitaba saber qué le había pasado a Millie. Su vida dependía de ello.

CAPÍTULO QUINCE

Esa noche, el viento se convirtió en tormenta. La lluvia golpeaba la ventana de Casey y los árboles se movían y crujían. Cada chirrido en el vidrio de la ventana y cada crujido de la casa le sonaban a Casey como un fantasma.

Al amanecer, la tormenta pasó. Cuando el sol comenzó a salir, Casey se levantó de la cama, cansada y temblorosa, se puso un par de *jeans* y una sudadera, pero no se molestó en peinarse. Escribió una nota para sus padres y la dejó en la mesa de la cocina. Después salió por la puerta de atrás.

Nubes tenues, rojizas por el amanecer, surcaban el cielo. La tormenta había roto la ola de calor y el aire era fresco y limpio.

A Casey le preocupaba tener que esperar afuera de la casa de Erik hasta que alguien

se despertara. Se sorprendió al ver que él la esperaba en la escalera del frente.

—No tienes muy buen aspecto —dijo Erik.

—Buenos días a ti también —respondió, sentándose junto a él en la escalera y sacando el diario de Millie del bolsillo de su sudadera.

—Entonces, ¿qué buscamos exactamente? —preguntó Erik.

—Creo que deberíamos empezar por los nombres de los niños que fueron a la fiesta de Millie. A lo mejor reconoces alguno —dijo Casey—. Si encontramos a alguien, quizás nos pueda decir algo.

Pasó las páginas hasta lo último que había escrito Millie y empezó a leer los nombres: Edie Finney, Grace Evanston, Pearl Miller, las niñas Avery.

—Hay una señorita Avery en mi escuela —dijo Erik—. Enseña inglés en octavo.

—¿Es muy mayor? —preguntó Casey.

—Bastante —dijo Erik—. Tiene por lo menos cuarenta.

—Erik, si tiene cuarenta años, no nació alrededor de 1939. Estamos buscando a alguien de la edad de tu abuela, por lo menos.

—Ah, tienes razón —dijo Erik.

—La pequeña Jackie (supongo que también era de la familia Avery) —Casey continuó con la lista—, Nathan y Rose Hopkins, George Archer, Gretchen Forysth y, por supuesto, los Henriksson: Johan, Peter, los gemelos Alf y Charles y la pequeña Anna. Ah, y está ese niño, Gunner Anderson. Él aparecía bastante en su diario.

—Anderson —murmuró Erik. Había arrancado una hebra del pasto y masticaba un extremo, pensativo—. Hay un Sr. Anderson que vive bastante cerca, hacia el pueblo.

—¿Es mayor?

—Y también tacaño. Una vez corté el pasto de su jardín. Me llevó toda la tarde y solo me pagó dos dólares.

Casey cerró el diario y se paró.

—Probemos con él. Puede ser una pista.

El Sr. Anderson vivía en una pequeña casa blanca, cerca del final de la calle principal. Casey y Erik dejaron sus bicicletas al pasar el jardín y se acercaron por el camino que llevaba a la casa.

—Veo que ya todo el mundo sabe que paga mal —dijo Erik fijándose en el pasto crecido del jardín.

En la puerta, Casey extendió la mano para llamar al timbre, pero dudó.

—¿Crees que es demasiado temprano? —preguntó a Erik. No eran todavía las siete y media.

—No creo. Si se parece a mi abuela, se levantará al amanecer —respondió Erik.

Casey respiró profundamente y pulsó el timbre.

Se oyó un ruido en el interior de la casa. Después de lo que les pareció una eternidad, el rostro de un hombre se asomó por la rendija de la puerta.

—¿Sí? ¿Quién es? —preguntó.

Casey se quedó mirándolo. Ese era el

hombre de la tienda de alimentos. El que pareció asustarse al verla.

—Hola, Sr. Anderson —dijo Erik—, ¿se acuerda de mí? Una vez corté el pasto de su jardín.

El Sr. Anderson no respondió. Su mirada pasó de Erik a Casey, y ella notó en sus ojos un destello de miedo.

"¿Por qué parece tenerme miedo?", se preguntó.

—Esta es mi amiga, Casey —continuó Erik—. Casey Slater. Acaba de mudarse al pueblo.

—Esperábamos poder hablar con usted —dijo Casey con una sonrisa amigable.

—¿Sobre qué asunto? —preguntó el Sr. Anderson.

—Millie Hughes. Vivía en la casa al final de Camino Enebro. Nos preguntábamos si usted la conoció.

Hubo una pausa. Entonces el hombre les cerró la puerta en sus narices.

"¿Ya?", se dijo Casey profundamente decepcionada. Pero un segundo después escuchó

que la cadena de la puerta se movía. La puerta se abrió, mostrando al Sr. Anderson. Llevaba pantalones, un suéter con botones y un par de pantuflas.

—¿Te llamas Casey, verdad? —preguntó. Ella asintió.

—Bueno, Casey —dijo finalmente—, ¿por qué no entran tú y Erik y me dicen por qué están interesados en Millie?

El interior de la casa estaba muy limpio y ordenado. Casey y Erik se sentaron en el sofá mientras que el Sr. Anderson les servía dos tazas de té de una tetera desportillada.

—¿Así que usted conoció a Millie? —preguntó Casey, sorbiendo el líquido caliente.

—Sí —dijo el Sr. Anderson recostándose en una mecedora—. Éramos vecinos en Camino Enebro hace mucho, mucho tiempo. ¿Puedo preguntar cómo conocen a Millie?

—Encontré su diario y leí... un poco —titubeó Casey. Se preguntó si a él le

parecería que eso no estaba bien—. Ella lo menciona a usted.

—¿De verdad? ¿Y qué decía?

—Bueno... —Casey miró a Erik—. Ella creía que usted era un poco sabelotodo, pero creo que le caía bien.

—Tenía razón —dijo con una sonrisa—, yo era un poco sabelotodo. Millie era una niña increíble. Lista como un rayo. No había manera de engañarla.

—¿Nos puede decir qué le ocurrió? —preguntó Erik.

—¿De verdad quieren saberlo? —dijo el Sr. Anderson luego de una pausa—. No es una historia agradable.

—Sí, queremos —respondieron Erik y Casey al unísono.

—Hubo un fiesta en casa de Millie. Casi todos los niños de los alrededores estaban invitados. Sería el gran acontecimiento del verano.

—Millie escribió sobre eso en su diario —dijo Casey—. Estaba entusiasmada.

—Todo el mundo estaba entusiasmado

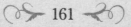 161

—dijo el Sr. Anderson—. Después de la torta, jugamos a muchos juegos, al corre que te pillo y ese tipo de cosas. Pero estaba lloviendo, así que no podíamos jugar afuera. Decidimos jugar al escondite.

Al escuchar la palabra escondite, Casey dejó escapar un gemido. ¿Por eso había estado soñando con ese juego?

—¿Estás bien?

El Sr. Anderson la miró detenidamente.

—Sí, lo siento —contestó Casey—. Por favor, continúe.

—Millie quería ser quien buscara a los demás —dijo el Sr. Anderson—, pero no la dejamos. Bueno, yo no la dejé. Millie tenía una manera extraña de adivinar cosas que nadie más podía. No sé por qué. Ese día les dije a los demás chicos que no me parecía justo. Así que le tocó a Anna Heriksson buscarnos a los demás. Tenía entonces como seis años.

—Anna Henriksson es mi abuela —dijo Erik.

El Sr. Anderson asintió y se miró las

manos. Casey y Erik esperaron a que continuara.

—Bueno, Anna contó hasta veinte y todos nos escondimos. Como era tan pequeña, Anna no era muy buena para encontrar a los niños, pero poco a poco todos fuimos saliendo, excepto Millie. Al principio no le dimos importancia. Pensamos que intentaba ganar, podía ser muy testaruda. Pero entonces empezó a anochecer y ella no aparecía. Recorrimos toda la finca llamándola. Sus padres se preocuparon y llamaron al sheriff de Lincoln, y él organizó un grupo de búsqueda con perros sabuesos y todo. Peinaron los bosques, pero no la encontraron.

Casey intento tragar saliva y se dio cuenta de que su boca estaba seca. Su corazón había empezado a latir rápidamente.

—Pasó una semana —continuó el Sr. Anderson—. Un día, la mamá de Millie subió al ático a buscar algo. Abrió el baúl y encontró a Millie, encogida como si estuviera

dormida. Se había escondido allí durante el juego, pero la tapa se cerró y ella se ahogó. Probablemente murió mientras todos la buscábamos.

Casey se tapó la boca con las manos y Erik bajó la mirada.

—Su funeral fue el día antes de que empezara la escuela. Hubiera empezado octavo grado. —El Sr. Anderson hizo una pausa y se aclaró la garganta antes de continuar—. Después de eso no vimos mucho a los padres de Millie. Oí que el Sr. Hughes quería volver a Manchester, la ciudad de donde venían. Pero la madre de Millie no quiso dejar la casa. Decía que Millie aún estaba ahí y no quería abandonarla. Supongo que se había vuelto loca por el dolor. —Negó con la cabeza—. No puedo imaginar lo que sentirá un padre o una madre que encuentra así a su hija.

—¿Alguna vez habló con ellos, con sus padres? —preguntó Erik.

—Los niños nunca volvimos a hablar de ello. Creo que todos nos sentíamos un poco

responsables. Anna Henriksson se lo tomó muy mal. Era una niña pequeña cuando ocurrió y admiraba a Millie. Creo que pensó que si hubiera buscado mejor, la habría encontrado.

—Pero no fue culpa de mi abuela, ni de nadie —dijo Erik—. Fue solo un accidente.

—Lo sé. —El Sr. Anderson extendió las manos—. Pero a veces en la vida ocurren cosas que te gustaría cambiar. No puedo evitar pensar que si no hubiéramos jugado al escondite o si la hubieramos dejado hacer lo que ella quería, todavía estaría viva.

Encogido en su mecedora, el Sr. Anderson parecía pequeño y frágil. Para Casey era difícil imaginárselo como un niño seguro de sí mismo, un poco sabelotodo.

—Se parecía mucho a ti —dijo el Sr. Anderson—. Voy a buscar la fotografía de nuestro curso.

Se levantó lentamente y salió del cuarto arrastrando los pies. Luego volvió con una fotografía en blanco y negro que le dio a Casey.

—Esta foto la tomaron el año anterior a su muerte —dijo—. Millie está en la primera fila. Es la tercera de izquierda a derecha.

Los niños de la foto estaban sentados en tres hileras. Las niñas llevaban vestidos con cuellos redondos y los niños llevaban camisas blancas y corbata. De no ser por eso, podrían haber sido los compañeros de clase de Casey. Ella estudió el rostro sonriente de Millie. Aunque la foto estaba un poco desenfocada, podía ver que las dos tenían el mismo pelo negro ondulado, la misma expresión testaruda en los labios y los mismos ojos oscuros y curiosos.

—La primera vez que te vi, pensé que estaba viendo un fantasma —dijo el Sr. Anderson—, y luego supe que estabas viviendo en la casa de Camino Enebro.

—Creo que tengo algo que le pertenece —dijo Casey. Buscó en el bolsillo, sacó la canica verde y blanca y se la entregó.

Él la miró durante un largo rato. Cuando levantó la mirada, tenía los ojos húmedos.

—Me la ganó —dijo—. Yo pensé que había hecho trampa.

—Lo sé —dijo Casey—. También escribió sobre ello.

—Quédate con ella —dijo el anciano devolviéndole la canica—. Creo que a Millie le habría gustado que tú la tuvieras.

—Gracias —dijo Casey—, y gracias por hablarnos de Millie.

—¿Descubrieron lo que querían saber? —preguntó.

—Sí —dijo Casey. Tenía la respuesta que buscaba, aunque la historia no la alegraba.

—Muy bien. Vuelvan a visitarme cuando quieran. No viene a visitarme mucha gente.

—Volveremos —prometió Erik.

Casey y Erik se pusieron de pie. En la puerta, Casey recordó algo.

—Una cosa más —dijo—. ¿Sabe algo sobre un incendio en la casa de Millie?

—¿Un incendio? —El Sr. Anderson frunció el ceño—. No. Si hubiera habido un incendio, lo recordaría. Nunca hubo un incendio en Camino Enebro.

CAPÍTULO DIECISÉIS

Casey y Erik volvieron lentamente a casa, pedaleando a poca velocidad para poder hablar.

—Pobre abuela —dijo Erik—. Por eso nunca quería que habláramos de esa vieja casa. Probablemente pasó toda su vida apenada por Millie, pero nunca quiso decir ni una sola palabra.

—Pobre Millie, qué manera tan horrible de morir —dijo Casey—. ¿Sabes? Ella lo había soñado. Soñó con un lugar oscuro en el que llamaba a sus padres, pero no supo lo que significaba.

—Es horrible —coincidió Erik—, pero ahora sabes que estás a salvo. Lo que le ocurrió a Millie fue un accidente. No ocurrirá de nuevo. No te ocurrirá a ti.

"¿Pero cómo puedo estar segura?", pensó Casey.

Ella no iba a entrar en ningún viejo baúl, eso estaba claro. ¿Pero cómo podía saber que no le ocurriría algo distinto, pero igual de malo? Podría ir corriendo por el camino y cortarse el pie con un clavo oxidado. O podría estar comiendo pollo y asfixiarse con un hueso.

No fue un fantasma quien mató a Millie, sino un simple juego del escondite, y eso asustaba aun más a Casey. Porque no importaba si corrías un riesgo o no, de cualquier manera no había nada seguro en la vida.

—Pero nada de esto explica lo que ha estado ocurriendo en la casa —añadió—: el jarrón que estalló, el armario que casi me cae encima. Esos no fueron simples accidentes.

—Quizás fue Millie —sugirió Erik—. Ya oíste lo que dijo el Sr. Anderson. La mamá de Millie creía que ella aún estaba en la casa. Quizás sea cierto, quizás su espíritu aún viva en la casa.

—Pero, ¿por qué haría todas esas cosas?

¿Por qué intentaría hacernos daño o asustarnos?

—Quizás está enojada —respondió Erik—. Quizás tiene celos porque tú estás viva y ella no.

Casey se preguntó si eso podía ser verdad. ¿Estaría Millie detrás de todas las cosas temibles que habían ocurrido?

"Me cuesta creerlo —pensó—. La sentí tan cerca como si fuera una amiga".

Llegaron hasta la señal de SIN SALIDA. Se detuvieron y leyeron esas dos palabras. De repente, habían cobrado un nuevo significado. Erik miró a Casey. Ella pensó que le iba a decir adiós, pero para su sorpresa, la abrazó. Estaba tan sorprendida que tardó un momento en abrazarlo también. Cuando lo hizo, se dio cuenta de que no quería soltarse.

—¿Estarás bien? —dijo Erik al apartarse de ella.

—No lo sé... yo... supongo que sí —tartamudeó Casey, sintiéndose un poco mareada.

—Tengo que volver a casa —dijo Erik—. Quizás podría ir mañana a tu casa, para pasar un rato juntos y, bueno, ya sabes, mantener a los fantasmas a raya.

—Sí, me gustaría que fueras.

—Bueno, hasta mañana —dijo él.

—Hasta mañana.

Erik se subió a la bicicleta y pedaleó por el camino. Casey se dio la vuelta y caminó lentamente hacia la casa, maravillada de lo extraña que podía ser la vida. Pensó que, a veces, las cosas que empiezan asustándote resultan siendo las más seguras.

CAPÍTULO DIECISIETE

El resto de la tarde Casey sintió una mezcla de emociones. Se entristecía cuando pensaba en la manera terrible en que había muerto Millie. Pero el recuerdo de Erik volvía una y otra vez a su mente, apartando la tristeza. Cada vez que recordaba su abrazo, sentía un pequeño escalofrío.

Por primera vez desde que había llegado a Stillness, esperaba algo con impaciencia. Parecía que el día siguiente nunca llegaría.

Por la noche seguía pensando en Erik.

"Me estoy volviendo loca —dijo, riéndose de sí misma mientras se acostaba—. Más me vale tener cuidado o también soñaré con él".

Pero no fue así. Esa noche, por primera vez, Casey soñó con el incendio de Millie. Olió el humo y escuchó el crepitar furioso de las llamas. Era exactamente como lo había descrito Millie en su diario. Casey

incluso soñó que oía a Millie gritando, "¡Despierta! ¡Despierta! ¡Despierta!"

Cuando abrió los ojos, vio una luz por la ventana, pero no parecía el amanecer. El aire de su cuarto olía a humo. Casey respiró hondo y sintió que se ahogaba. Cerró los ojos de nuevo.

"Es solo un sueño", se dijo a sí misma, y se clavó las uñas en la palma de la mano.

Pero un golpe fuerte la hizo incorporarse de un salto. Su habitación estaba bañada por una luz resplandeciente. Miró por la ventana y vio que el porche, justo debajo de su habitación, estaba ardiendo. Una parte ya se había derrumbado y había llamas anaranjadas que ascendían hacia arriba.

"Sea un sueño o no, tengo que salir de aquí", pensó, y saltó de la cama.

El humo flotaba en la habitación como si fuera una manta. Le hacía daño en los ojos y la cegaba. Caminó lentamente con los brazos extendidos y gritó cuando se tropezó con un par de pantuflas que había en el piso.

Por fin palpó el borde de la puerta con la punta de los dedos. Estaba caliente y supo que el fuego debía estar muy cerca. Pero tenía que abrir la puerta. Era su única salida.

Se envolvió la mano con una camiseta para protegerla. Agarró el pomo de la puerta y la abrió de un golpe. Una ola de calor ardiente la envolvió de pies a cabeza. El pasillo estaba en llamas y por la escalera subían aun más llamas.

—¡Mamá! ¡Papá! —gritó.

No hubo respuesta. Solamente escuchó el rugido del fuego. No sabía si sus padres estaban atrapados en el fuego o si habían logrado salir de la casa.

—¡Mamá! ¡Papá! ¿Están ahí? ¡Ayúdenme!

La ceniza revoloteaba alrededor de su cabeza como si fuera un tormenta de nieve. Las llamas se acercaban más a ella, como buscando el oxígeno de su habitación.

Casey cerró la puerta de golpe y retrocedió.

—¡Ayúdenme! —gritó de nuevo, aunque sabía que nadie podía oírla.

Por el rabillo del ojo, vio que algo se movía. Casey se volteó y se encontró con su reflejo en el espejo del tocador. Entre la niebla de humo y las lágrimas, vislumbró el cabello negro y enredado, una cara manchada de hollín y sus ojos negros abiertos como platos por el terror.

De repente, Casey comprendió algo.

"Yo leí esto —dijo—. Estaba en el diario de Millie. ¡Ella lo vio con todo detalle!"

Pero Millie se había equivocado en una cosa. La niña que había visto en el espejo, la que estaba atrapada en el fuego, no era ella. Era Casey.

El empapelado de las paredes había empezado a desprenderse y los dibujos de los helechos comenzaban a distorsionarse por el calor. Casey supo que la pared entera ardería en poco tiempo. Y entonces, en cuestión de segundos, toda la habitación sería inundada por las llamas.

Casey apenas podía respirar. Vagamente

recordó, por las lecciones de la escuela, que debía agacharse. Caminó en cuatro patas para alejarse lo más posible de la puerta. Cuando tocó una pared, se acurrucó contra ella.

Del otro lado de la puerta llegó un estruendo que hizo temblar el piso. Casey supuso que la escalera se había derrumbado. Esperaba que al menos sus padres hubieran logrado salir.

"Moriré aquí", pensó, y se preguntó si Millie habría pensado lo mismo antes de morir.

Mientras estaba sentada y con el brazo tapándose la cara para no presenciar el horror, sintió que alguien agarraba su mano. Unos dedos sólidos y reales se entrelazaron con los suyos. Alguien la estaba jalando para que se parara.

¿Era su mamá? Pero no reconoció la mano. Con los ojos llenos de lágrimas, Casey apenas vislumbró la figura de una niña. La mano que agarraba la suya era pequeña y fuerte. Dejó que la levantara y la llevara hacia la pequeña ventana, la que nunca se había podido abrir.

"¡La ventana!", pensó Casey. Y, de repente, se dio cuenta de que había una salida.

Justo entonces, los dedos la soltaron. Casey extendió los brazos a ciegas, desesperada por volver a sentir esa mano tranquilizadora. Pero sus dedos no rozaron nada. No había nadie.

Ahora estaba parada y sabía que había una oportunidad de salvarse. Agarró la lámpara de la mesita de noche y rompió la ventana en el segundo intento. De repente, escuchó a sus padres. Estaban en algún lugar del primer piso, gritando llenos de pánico.

Casey golpeó el resto del vidrio con la lámpara y logró sacar una pierna por la ventana. El fuego iluminaba todo como si fuera de día. Podía ver el suelo claramente, un pedazo de tierra y algunas hierbas.

—¡No puedo hacerlo! —lloró.

"Sí, sí puedes", dijo una voz claramente. No provenía de la habitación sino de algún lugar dentro de su mente, y Casey la reconoció al instante. Era la voz de sus sueños. Era la voz de Millie.

Hubo un crujido detrás de ella. El fuego había devorado la puerta y se extendía por las paredes de la habitación.

"¡Vamos, ahora!", dijo la voz.

Casey miró al suelo de nuevo. Parecía nadar en humo. Cerró los ojos al verlo. Pasó la otra pierna al otro lado de la ventana y gritó: "¡Lista o no, allá voy!".

Y entonces saltó.

CAPÍTULO DIECIOCHO

Cuando llegaron los bomberos, la mayor parte de la casa ya estaba destruida. Después de apagar el incendio, los bomberos explicaron que creían que el fuego había comenzado en la cocina y se había extendido rápidamente al comedor y el segundo piso.

—Una vieja casa de madera como esta es como un bulto de paja —dijo el jefe de bomberos a los padres de Casey—. Tuvieron suerte de que hubiera tormenta la noche anterior. Si la madera hubiera estado seca, el fuego se habría extendido con mayor rapidez.

Casey se recostó contra el camión de bomberos y se aferró a la manta que tenía sobre los hombros. Poco después de que aparecieran los bomberos, Erik, su mamá y las gemelas habían llegado con mantas y termos con café. Erik fue el que avisó a los bomberos cuando vio humo sobre las copas de los árboles.

—¿Tienen idea de cómo se inició el fuego? —preguntó el papá de Casey, que seguía con el piyama puesto debajo de una manta a cuadros. En una mano sostenía un termo lleno de café, del que parecía haberse olvidado. No había tomado ni un solo sorbo.

—Es difícil saberlo. En estas casas el problema suele ser eléctrico —dijo el bombero—. Los cables son viejos, están gastados y apenas están aislados por una delgada tela. Cuando se enchufan varios electrodomésticos modernos, una computadora, una cafetera y todas esas cosas, los cables desgastados no pueden soportar tanto calor.

—¿Entonces, creen que eso fue todo? ¿Un incendio motivado por causas eléctricas? —preguntó la mamá de Casey, que estaba muy pálida. Con las dos manos sostenía una taza de café, como si de eso dependiera su vida.

—Podría ser —respondió el bombero—. A veces hay pistas, como luces que se apagan y se encienden, aparatos que se funden. ¿Tuvieron algo de eso?

—Hubo luces que parpadeaban —dijo el papá de Casey.

—Ahí está —dijo el bombero—. De todas formas supongo que la compañía de seguros realizará una investigación completa. ¿Tienen seguro, verdad?

—Sí —dijo la mamá de Casey—. Por suerte.

El bombero miró los restos carbonizados de la casa, y Casey siguió su mirada. La parte delantera aún se mantenía en pie. Pero el porche, la cocina, la habitación de Casey y la mayor parte del ático habían desaparecido.

—Es una lástima —dijo el bombero—. Lo que no entiendo es que vivieran aquí tan lejos y sin teléfono. Tienen suerte de que este chico viera el fuego y tuviera la entereza

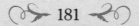

de llamarnos —añadió y le dio unos golpecitos en el hombro a Erik con su mano enguantada.

Erik se limitó a asentir, aceptando el halago pero sin entusiasmo. Mientras los papás de Casey y el bombero continuaban hablando, Erik se acercó a Casey.

—¿Cómo estás?

—Bien —respondió ella.

Los bomberos le habían vendado el tobillo que se había torcido y la mano que se había cortado al atravesar la ventana rota. Le ardían los ojos y le dolían los pulmones, pero estaba viva.

Erik tomó la mano sana de Casey y le dio un leve apretón. Casey se quedó helada. ¿Pero en qué estaba pensando ese chico, tomándola de la mano delante de sus padres?

Empezó a retirar la mano, pero se detuvo. Las palabras de Erik de aquella tarde en el río resonaron en su cabeza: ¿Qué es lo peor que podría ocurrir?

"Nada —pensó Casey—. Por lo menos, nada malo". Así que en lugar de retirar la mano, le devolvió el apretón y se rió.

—Cuando dijiste que vendrías hoy, esto no es lo que tenía en mente —dijo.

Pero Erik no rió. Se inclinó sobre Casey con expresión preocupada.

—¿Crees que fue ella? —preguntó en voz baja—. Me refiero a Millie. ¿Crees que ella inició el fuego?

—No —dijo Casey.

—¿Cómo puedes estar tan segura? —preguntó Erik—. Después de las otras cosas que han ocurrido, ¿cómo sabes que ella no hizo esto también?

Casey pensó en la voz de Millie, clara y firme, animándola a despertarse. Millie fue quien le avisó que había un incendio. Ahora entendía que le había estado avisando todo el tiempo.

—Intentaba protegernos —dijo, y se dio cuenta de que era cierto—. Ella sabía lo que iba a pasar y trató de asustarnos para que

nos fuéramos de la casa y nadie resultara herido. Pero no funcionó.

La madre de Erik se acercó. Sobre su hombro dormía una de las gemelas.

—Pobrecita, pareces agotada —dijo mirando a Casey—. ¿Por qué no vienen todos a casa y duermen un poco? —añadió, dirigiéndose a los padres de Casey—. Cuando hayan descansado podrán usar el teléfono y hacer las llamadas que necesiten.

—Gracias, es muy amable —respondió la mamá de Casey—. Necesitamos un hotel en el que podamos quedarnos hasta que arreglemos la situación con las personas que están alquilando nuestra casa en Nueva York.

"En Nueva York".

Casey sintió de repente una punzada. Por supuesto, tendrían que volver a Nueva York ahora que habían perdido la casa. ¿Cómo no había pensado en eso? Se dio cuenta de que ahora no quería marcharse de Stillness. ¿Y

si nunca volvía? ¿Y si no volvía a ver a Erik nunca más?

Lo miró y vio que él estaba pensando exactamente lo mismo.

"Cálmate —se dijo a sí misma—. Todo estará bien".

Después de todo, acababa de escapar de un incendio, había saltado por una ventana de un segundo piso y le había dado la mano a un chico delante de todo el mundo. En las últimas doce horas, Casey se había sorprendido a sí misma más que en toda su vida. Le parecía que este nuevo obstáculo era algo a lo que se podía enfrentar.

El sol empezaba a salir justo cuando sus padres la ayudaron a sentarse en el asiento trasero del auto. Bajó la ventana y se asomó para mirar la casa por última vez. Esperaba ver alguna señal de Millie.

Pero no vio nada. Bajo la luz fría de la mañana, los restos de la casa ya no significaban nada. La casa había desaparecido y, al parecer, Millie también.

—Gracias —murmuró en todo caso.

Se quedó mirando lo que quedaba de la casa hasta que se adentraron en la curva y la propiedad desapareció de su vista. Después miró hacia delante, preparada para lo que el futuro le deparara.

SOBRE LA AUTORA

Mimi McCoy es la autora de tres libros de la serie Candy Apple: *The Accidental Cheerleader, The Babysitting Wars* y *Star-Crossed*. Vive en San Francisco, California, en una casa que no tiene fantasmas... al menos que ella sepa.